冷月孤燈

唐浩明讀史隨筆集 一

岳麓書社·長沙

冷月孤燈

唐浩明讀史隨筆集

一

岳麓書社·長沙

序：孤冷是一種意境

静謐的夜晚，窗外一彎冷月，室内一盞孤燈，有一個人在伏案寫作。三十多年來，我彷佛定格在這樣的時空中。

世人都喜歡熱鬧，不喜歡孤冷。其實，孤冷也未必不好。孤，讓人心思專注；冷，使人精神凝聚。這種氛圍，特别適宜思考與創作。我讀太史公《報任安書》：文王拘而演《周易》，仲尼厄而作《春秋》，屈原放逐乃賦《離騷》，韓非囚秦《説難》《孤憤》……中華民族那些不朽的典籍，豈不都産生在孤冷之中？至于冷月孤燈，則更是一種美好的意境。望著冷月，我常常會想起阿拉伯世界對月亮的特殊感情，那裏面有著穆斯林的聖潔追求。凝視孤燈，我又會想起佛像前的燃供，那跳躍的燈火，是在傳遞善男信女心中的覺悟與智慧。我自己則更多地是在冷月孤燈中感悟到淡泊寧静與幽遠深沉。

冷月孤燈便這樣長年伴隨我，審視離我們并不太遥遠的那一段歷史。我經常隱隱約約地有已經深入那個時代的感覺，有時甚至恍恍惚惚地覺得已經摸到了那一根根跳動的脉搏。但每當真的要與它對話，爲它把脉時，我又發現，一切都似乎在縹緲中。

我把這種時刻中所得的那些零零碎碎的感悟寫進小説，寫進評點，有時也會寫點小文章，慢慢纍積，居然有了一兩百篇，這次將其中的四十多篇彙集成册，名曰《冷月孤燈：唐浩明讀史隨筆集》。這些文章大體上分爲三個部分。第一部分是對曾國藩的專題解讀，這些專題半是對曾氏愛好者的演講題目。第二部分是對傳統文化和古人的閲讀。第三部分是與歷史有關聯的散碎之文。

《冷月孤燈·静遠樓讀史》二〇一六年八月由廣東人民出版社出版後，頗受讀者歡迎，很快便重印。現略作增删，由岳麓書社推出綫裝本，希望它能以古色古香的形式，得到對古典美有偏好的讀者喜愛。

是爲序。

目録

目錄

卷三　小樓碎片

卷二 小樓吹徹

爲什麽不做皇帝

自從小説《曾國藩》問世以來，十多年間，常有熱心讀者問我：曾國藩爲什麽不自己做皇帝，甘心充當清王朝的鐵杆保皇派呢？也有讀者爲曾國藩惋惜，認爲他放弃稱帝，是他一生最大的遺憾。甚至有人據此批評曾氏，説他太自私，因爲自私而給中國帶來巨大的損失。這的確是一個很有趣的問題，我也很有興趣跟大家一起來探索。

一、曾氏有過四次被人勸做皇帝的經歷

咸豐三年八月，曾氏由長沙遷往衡州府。這次南遷，名義上是『就近搜捕』湘南土匪，實際上是他在長沙城裏待不下去了。曾氏奉旨在長沙辦團練搜查土匪安定地方，本是地方文武的幫同者，即協助者，但曾氏一則出于高度的責任心，二則仗著多年侍郎的資歷和眼下欽差大臣的身份，反客爲主，變幫辦爲主辦，又奉行法家宗旨，以重典治亂世，以霹靂手段顯菩薩心腸。他所制定的『就地正法政策』，侵犯了地方政府的職權，强迫緑營與團練一道嚴格訓練、參劾長沙協副將清德、嚴辦與湘勇械鬥的緑營兵，又因而與軍方結怨。文武兩方都討厭曾氏。曾氏不得已，退出長沙，將衙門搬到衡州府。趁著戰局緊急，朝廷命他救援湖北的機會，招兵買馬，擴大湘勇，來衡州不滿四個月，便將湘勇迅速擴大，組建陸師十營、水師十營共一萬人，加上近八千輔助人員，號稱二萬，曾氏成了名副其實的三軍統帥。這時有一個名叫王闓運的湘潭秀才，正在衡州東洲書院求學。此人雖習孔孟之道，心中嚮往的却是戰國縱横家們的帝王之學。他那時剛二十出頭，但很有膽量，居然敢于一個人闖曾氏設在衡州城裏的湘勇指揮部，面見曾氏。勸曾氏既不助朝廷，也不助太平軍，擁兵自重，蓄勢自立，要以韓信爲前車之覆，莫使悲劇再次重演。王闓運實際上是在充當第二個蒯通。當年蒯通勸韓信背叛劉邦，自立爲劉、項之外的第三方。所謂『三分天下，鼎足而立』。韓信未聽，結果被吕后所殺。曾氏未采納，但也未斥責他，留他在營中。大軍北上時，王藉口身爲獨子，不能長住軍營，于是離曾氏而去。這應該是曾氏所遭遇的第一次勸進。

咸豐十年四月，曾氏被任命爲兩江總督，當即整軍東進；六月，將兩江總督衙門駐扎在安徽祁門。就在這時，王闓運又來到曾氏軍營。這幾年，王闓運積極推行他的縱横之術。他做的最大一件事是來到肅順家做家庭教師，與肅順關係密切。但不久，他又離開北京，在山東巡撫文煜衙門過完年後又轉回北京，聽説曾氏放了江督，遂南下特爲拜訪。王這次在祁門住了兩個多月。此時，曾氏的軍威與聲望遠遠超過當年在衡州府初建湘軍時。王再次兜售他的蒯通之計。野史上説，曾氏聽王滔滔不絶的議論，微笑不語，衹用手指蘸茶水不停地在桌

面上寫字。待曾氏有事暫時離開時，王走近桌面，見上面寫著一連串的『狂妄、狂妄』。王衹得快快離開祁門，臨行賦詩二十二首，感嘆此次祁門之行是『獨慚携短劍，真爲看山來』。

關于王闓運兩次勸曾氏自立的事，可從他的真傳弟子楊度的詩中覓到蛛絲馬迹。楊度在他的長詩《湖南少年歌》中寫道：『更有湘潭王先生，少年擊劍學縱横。游説諸侯成割據，東南帶甲爲連衡。曾胡欲顧咸相謝，先生笑起披衣下。』這可謂曾氏第二次遭遇的勸進。

咸豐十一年八月初一日，湘軍吉字營打下安慶。這是湘軍的一個大勝利。初八日，曾氏將兩江總督衙門由東流縣移到安慶府。從祁門到東流，曾氏的江督衙門一直處于流亡狀態，進了安慶城，算是有了一個體面的辦公場所。不料十天後，曾氏忽接咸豐皇帝駕崩的哀詔。咸豐帝纔三十一歲，他的去世，是曾氏及所有湘軍高級領導層所不曾料及的。繼位的載淳纔六歲，由咸豐臨終所托的以肅順爲首的八個顧命大臣輔佐政務，這八個人中却没有小皇帝的親叔父且在朝廷有很高威望的恭親王奕訢。這正是史書上所説的『主少國疑』的非常時期，不測風雲隨時都有可能發生。就在這個時候，不少野史都記載，當時湘軍集團高層，曾有過一次醖釀推曾氏爲頭自立東南的過程。

先是胡林翼打發人送來一封信，信中説左宗棠近日回了一趟湘陰老家，游境内神鼎山時，做了一副嵌字聯，道是：神所依憑，將在德矣；鼎之輕重，似可問焉。胡在信中問曾氏，左的這副聯語做得如何？顯然，左的這副聯語化自《左傳·宣公三年》中的如下這段話：『楚子伐陸渾之戎，遂至于雒，觀兵于周疆。定王使王孫滿勞楚子。楚子問鼎之大小輕重焉。對曰：在德不在鼎……周德雖衰，天命未改，鼎之輕重，未可問也。』這段話也是後世『問鼎』一詞的出處。

曾氏明白胡與左的用意，將聯語改動一個字後，原信退回。這個改動是將『似』改爲『未』。又，彭玉麟也在這個時候，悄悄遞給曾氏一張紙條，上面衹寫了一句話：『東南半壁無主，滌丈豈有意乎？』野史上説，恰好此時有人進來，曾氏將這張紙條吞進肚子裏。

這應是曾氏所遇到的第三次勸進。

同治三年六月十六日，南京被吉字營攻下。湘軍與太平軍的角逐，至此以前者的全勝而結束。因放走幼天王、李秀成以及搶掠城内金銀財貨，吉字營受到朝廷的嚴厲譴責，并責令其統領曾國荃上繳已落入私人腰包的全部金銀財貨。此令激怒了曾國荃和吉字營的所有官勇。以曾國荃爲首的吉字營高官們一齊來到曾氏身邊，勸曾氏效法趙匡胤黄袍加身。曾氏一言不發，衹寫了一副聯語送給他的九弟曾國荃：倚天照海花無數，流水高山心自知。曾國荃知乃兄無造反之意，遂作罷。這是第四次，也是最後一次遭遇的勸進。

二、大家都會問，到底是什麼原因，使得曾氏一次又一次毫不猶豫地拒絶勸進，到了最後，他甚至以自剪羽翼即將湘軍十裁其九，來表示他對朝廷的忠誠呢？我想，此中原因大概有如下幾點：

首先，曾氏是一個家世寒素的農家子弟，他説過他們曾家是『從衡陽至湘鄉，五六百載曾無人與于科目秀才之列』（《台洲墓表》），也就是説五六百年來，他們曾家没有人得過秀才以上的功名，當然，也没有人做過官，直到他父親四十三歲那年經過十七次考試，纔得中秀才。可見功名富貴對曾家來説，是多麽的艱難。但曾氏却二十三歲爲秀才，二十四歲爲舉人，二十八歲中進士點翰林，三十七歲即爲二品大員，其功名富貴之順，遠非常人可比。平心而論，他一個偏遠鄉村的農家子弟，若不是朝廷所推行的科舉考試及破格提拔，怎麽會有此等命運！曾氏對朝廷的恩德，真可謂淪肌浹髓，刻骨銘心。從情感上來説，他是决不可能背叛皇家的，更遑論起兵造反，推翻這個于他恩重如山的朝廷！

其次，曾氏是一個理學信徒，不是趙匡胤、袁世凱一類的强權政客。漫長的中國歷史舞臺的上層，活躍著的幾乎是清一色的强權政客，幾乎人人都想做黄袍加身的趙匡胤、代清自立的袁世凱，許多人没有做成趙、袁，祇不過是缺乏足够的實力與合適的環境罷了。這些人的眼中祇有權力與利益，他們也會講信仰、道德等等，但這些話無非是欺蒙世人，或鉗制别人而已，『信仰』『道德』云云，純爲達到其個人目的的工具。但是，世上也有另外一類人，他們是把信仰、道德放在第一位的，權力與利益都要在符合信仰與道德的範圍内去考慮。前一類人可稱之爲豪杰，後一類人的楷模通常被稱爲聖賢，所以，世上便有豪杰事業與聖賢事業之分。

豪杰事業重在功利，聖賢事業重在德行，兩者有著明顯的區别，很難統一。故而，立德立功難于兼顧，其原因就在這裏。曾氏雖然建立了巨大的事功，但他本質上是一個理學信徒。他的人生榜樣是聖賢而不是豪杰。曾氏一向推崇『誠』，他若舉兵反朝廷，便是徹底背叛了過去，是最大的不誠，最大的欺人欺世。對于曾氏這種理學家而言，寧願死，也不會那樣去做。所以，要曾氏接受勸進，從根本上説就是不可能的事情。

再次，對于戰爭所帶來的灾難，他有最深切的認識，他不忍心再挑起戰爭。戰爭是給人類帶來最大摧殘最大傷害的活動，它可以在頃刻之間摧毁千辛萬苦所獲得的成果，毁滅人所最爲寶貴的健康與生命，故而從古以來人類都是希望和平，反對戰爭。

曾氏出身農家，在純樸的鄉村長大，珍惜勞動成果與生命這種農人意識，對他來説可謂與生俱來。他帶兵十多年，轉戰十餘省，戰爭給社會帶來的創傷，他的感受自然比别人深刻。同治二年四月二十二日，他在日記中寫道：『皖南到處食人，人肉始賣三十文一斤，近聞增至百二十文一斤。句容、二溧八十文一斤。荒亂如此，今年若再凶歉，蒼生將無噍類矣。亂世而當大任，豈非人生之至不幸哉！』

這種沉重的感受是發自内心的，它既有一個普通人的心靈上的傷痛，又有一個擔當大任者的道義上的愧疚。

同治三年六月，南京城堅固的城墻被湘軍炸開。這座被太平天國當作都城的江南名城，

重新回復它的兩江總督衙門所在地的原身份，戰爭所摧毀的城墻很快被修復。曾氏爲此事立碑銘文：『窮天下力，復此金湯。苦哉將士，來者勿忘！』作爲湘軍的統帥，這裏沒有絲毫勝利者的得意與張揚，有的祇是對生命和物力在這種一失一復戰爭中的損耗，所表現出的沉痛的惋惜。我們祇要將目光稍稍從功利二字離開一點，便會看到：南京的一失一得，與爲此丢失的十餘萬生命比起來，簡直毫無意義可言！正是因爲對戰爭殘酷性的認識太深切，所以他多次對兩個兒子說打仗是造孽的事，要他們今後絕對不要從軍。倘若曾氏造反，帶來的後果必定是戰爭的危害面更擴大，戰亂的時間再延長，一個認爲打仗是造孽事的人，會由自己的手去挑動新的戰爭嗎？

最後，受道家功成身退思想的影響，勝利後的曾氏也不可能會去再舉反旗。

曾氏的好友歐陽兆熊，曾經以『一生三變』來總結曾氏一生的成功要訣。所謂的『三變』，指的是，早年從詞賦之學一變爲程朱之學，中年從程朱之學二變爲申韓之學，晚年從申韓之學三變爲黄老之學。程朱之學即儒家，申韓之學即法家，黄老之學即道家。道家學說同樣博大精深，然其要義一在順其自然，二在以柔克剛。正是基于這些理念，老子說：『功成名遂身退，天之道。』又說：『聖人爲而不恃，成功而不居。』曾氏在咸豐七年守父喪期間，認真地總結出山五年來所經歷的一切，痛定思痛，決心改弦更轍，以道家的學理作爲思想和行爲的指導方針。果然，周邊環境大爲改善，軍事也逐漸走入坦途。歐陽兆熊說曾氏即便面臨收復南京這樣的天

下第一大功，也無一點沾沾自喜之色。我們看他此時送給其九弟曾國荃的四十一歲生日賀詩，十一首詩幾乎都貫穿著這種『功成身退』『成功而不居』的道家思想：

『低頭一拜屠羊說，萬事浮雲過太虛。』

『已壽斯民復壽身，拂衣歸釣五湖春。』

『與君同講長生訣，且學嬰兒中酒時。』

顯然，一個想『拂衣歸釣』的功臣，怎麼可能又會去想黄袍加身呢？

三、假若曾氏真的造起反來，他能不能成功呢？我個人認爲，他多半不會成功。其原因主要有三點。

其一，曾氏沒有奪取皇位的足够實力。

湘軍是當時湖南軍事團隊的總稱。曾氏雖然名義上是湘軍的最高首領，但實際上却不能像趙匡胤指揮北周的禁軍、袁世凱指揮晚清的北洋軍那樣，具有指揮整個湘軍的權力。湘軍中的每一支人馬，都是其統領自行招募的，該統領便是這支人馬的指揮者，各營各隊皆聽他的調遣，别人調遣不動。如果該統領死去，這支人馬就自行解散了。人們稱這種現象叫作『將存軍完，將死軍散』。一支人馬其實就是一個獨立的山頭。湘軍集團內部的山頭很多，到南京打下時，有這樣幾個主要山頭：曾國荃的吉字營、彭玉麟與楊載福的長江水師、左宗棠的楚軍，還有劉長佑、劉坤一、劉嶽昭即三劉的三支人馬，另外還加上李鴻章的淮軍。淮軍雖

然是安徽人的軍隊，但因是奉曾氏命令所組建，其建制一本湘軍，故當時它還屬于湘軍集團。

基本上能完全聽從曾氏指揮的人馬，也就是他的嫡系，祇有兩支，一是吉字營，一是水師。但是，那時的吉字營已嚴重腐敗，幾乎失去了戰鬥力。吉字營的戰鬥力是被南京城裏的金銀財貨瓦解的。打下南京那一刻，吉字營積聚已久的腐敗來了一個徹底的大爆發。整個吉字營從上到下，從將領到勇丁，全都毫無忌憚地大肆搶掠各大王府中的金銀財寶，最後乾脆焚燒王宫，毀滅罪證。那幾天的吉字營，簡直成了無惡不作的强盜。這群人的典型代表，便是第一個衝進城内已被清朝廷封爲子爵的李臣典。李進城後，還没有來得及接到朝廷的封册，便突然死了。李當時祇有二十七歲，强壯如牛，爲什麽會猝死？據野史記載，此人死于荒淫。六月盛暑天，他將七八個女人關在屋子裏，日夜縱欲無度，靠大吃春藥來刺激，終于力盡精竭，横尸床頭。這批大發横財的湘軍將士，急著要將財寶運回湖南享福做土財主，再不想提著腦袋衝鋒陷陣了。這樣的軍隊豈能再用？兩年後，曾國荃做湖北巡撫，招募六千新湘軍，該軍的統領彭毓橘、郭松林以及重要將官都是吉字營舊人，結果在與捻軍交鋒的戰場上一敗塗地，軍威幾乎完全没有振起過。這一事實，充分證明曾氏對大勝後的吉字營戰鬥力評估的正確。

曾氏的另一支嫡系是水師。水師一共有三支：長江水師、太湖水師、淮揚水師，後兩支是從長江水師分出來的。曾氏對水師很重視，早期他的指揮部就設在水師。水師統領彭玉麟、楊載福對他也很忠誠。水師在打南京時立下了汗馬功勞。南京是長江下游的碼頭，封鎖長江，便封鎖了南京城與外界聯繫的一條最重要的運輸綫，切斷了救援人力、物力的最主要的來路。湘軍水師擔負的便是這個任務。但是，若要北上攻打北京，水師則全然派不上用場，因爲北京周圍無大江大河。湘軍水師到了此地，好比旱路行船，無功可建。

由此可見，曾氏不具有奪取帝位的實力。

另外，有一點，雖不能作爲一條理由來推斷，却也不能無視。曾氏本人并不擅長臨陣指揮，真要揮師北上，一切還得要仰仗他的九弟曾國荃。相應地，在北進的戰爭中，老九的實力將更增强，羽翼將更豐滿。老九是個英雄豪杰式的人物，與其大哥的人生追求并不完全一致，到時，他願不願將自己一手奪得的皇位送給大哥還不一定。黄袍加身的趙匡胤臨終前不得不把位子讓給弟弟趙匡義，而接下來的是老弟的子孫世世代代做大宋朝的君王。諳熟歷史的前翰林院侍講學士對這段歷史、對『燭光斧影』的傳説應該是知道的。自己背罵名，而讓老九的子孫坐現成的江山，這種事情，曾氏也是不會幹的。

其二，湘軍内部存有强大的反對力量。

歷代帝王都會玩弄制衡術，咸豐帝、慈禧也不例外。何况他們身爲滿人，對執掌軍權的漢人更是時刻提防著。他們不得不用湘軍，却又害怕湘軍勢力過大，而在與太平軍的角逐中，湘軍勢力逐漸壯大，這又是不可改變的趨勢，其控制的辦法祇能是讓他們内部互相制約，不能造成一枝獨大的局面。咸豐帝之所以遲遲不給曾氏地方實權，而又陸續任命江忠源、胡林

翼、劉長佑爲巡撫，其用意就在這裏。咸豐十年四月在四顧無人的情况下，授曾氏以江督之職，接下來在兩三年的時間裏，就把左宗棠由一布衣迅速提拔爲閩浙總督。左的軍功固然是他火箭上升的重要原因，而左的楚軍足以與老九的吉字營分庭抗禮以及左長期不買曾氏的賬，則是其實質性的深層原因。

曾左之間存有芥蒂，這一點朝廷早已知道，朝廷迅速提拔左，其用意在于讓湘軍内部雙峰并峙。當年，曾氏丢下江西軍務回籍奔喪，遭到左的帶頭斥責；後來南京城内逃走了洪天貴福與李秀成，又被左報告朝廷。這兩樁事并不算太嚴重，左都持與曾氏對立的態度，倘若曾氏膽敢造反，左還能容得下他嗎？左的地位及其實力，都會促使他公開向曾氏宣戰，與曾氏先在江南擺開陣勢，然後冠冕堂皇地鳴鼓以擊之。到時，朝廷根本不用擔心，曾氏的軍隊未過淮河，湘軍集團便會先鬧起内訌來。

其三，朝廷的防患部署。

前面説過，朝廷對湘軍是既用又疑，疑則有防。我們看到，在湘軍的旁邊，一直有兩支由滿人做統領的緑營在協同作戰，即多隆阿與都興阿所統率的兩支軍隊。多軍與都軍固然是湘軍的友軍，但不能忽視，這兩支軍隊也負有監視湘軍的責任。

南京打下的第二天，江寧將軍富明阿，就以查看城内滿人營房破損情况爲名進了城。滿人在全國一些重要城市所設的將軍衙門，本就負有監督轄區内行政官員的職責，富明阿作爲

朝廷最爲信任的江寧將軍，這樣快地進城，毫無疑問是充當朝廷監視大勝後的湘軍之耳目。

與南京相隔百里之距的鎮江城，駐扎著馮子材的軍隊。馮子材是晚清緑營中僅有的幾個驍勇善戰的將官之一。馮子材一直駐扎在鎮江未動，應是朝廷的有意安排。此外，有鐵騎之稱的僧格林沁的蒙古馬隊，也以剿捻爲名南下山東、蘇北一帶。僧格林沁是咸豐帝的表兄，是忠誠朝廷的國戚，他的馬隊南下，顯然也有針對南京城内的湘軍的戰略目的。

倘若曾氏兄弟稍有點异常舉動，身在城裏的富明阿便會以最快的速度報告朝廷，馮子材、多隆阿、都興阿的軍隊便會在第一時間裏兵臨城下，僧格林沁的馬隊也會在兩三天内趕到南京，再加上左宗棠的高舉義旗討伐叛亂，遠在直隸、廣西、雲南的三劉必定會與左遥相呼應，一向善觀形勢的李鴻章，在這種氣候下，也一定會站在朝廷一邊。到那時，曾氏不但不會成功，還會落得個身敗名裂乃至毁家滅族的下場。老到謹慎的曾氏，怎麽可能不會想到這一幕呢？所以，曾國藩不想做皇帝；所以，世人會有極大的興趣來談論這個功德圓滿全身而退的曾文正公；所以，我們認定他是一個有大智慧的歷史人物。

忠而不愚與用而有疑

曾國藩與清朝廷，彼此之間打了三十年的交道。對曾國藩來說，歷經他的中年、晚年，對清朝廷而言，歷經道光、咸豐、同治三個朝代，這三個朝代的代表人物分別爲道光皇帝旻寧、咸豐皇帝奕詝、慈禧太后那拉氏。探索他們之間的相處，是一個頗爲有趣的歷史話題，既可以增加一點近代史上君臣關係的知識，又可對今天的讀者有某些當下啓示。

一、道光帝賞識提拔曾國藩，曾國藩對朝廷感恩戴德

嘉慶十六年，曾國藩出生在湖南偏僻山鄉中的一個普通耕讀之家。他五歲時在做塾師的父親手下發蒙，二十三歲中秀才，二十四歲中舉人，二十八歲中進士，隨即順利通過朝考，考取翰林院庶吉士。一個五六百年間未與聞科目功名之列的農家子弟，就這樣，與當時的國家最高權力機構即朝廷搭上了關係。在那個時代，曾國藩已是萬萬千千農家子弟中的非常幸運兒了，但幸運對于他來說，還僅僅祇是開始。

兩年後，即曾氏三十歲時，他順利通過翰林院的散館考試，留在翰苑。他所獲得的官職爲翰林院檢討，品級爲從七品，乃翰林院裏的一個低級官員。在北京城裏，他祇算是小京官。這個小京官官運亨通。進京第二年，他便充任國史館協修官。第四年通過翰詹大考，他以二等第一名即總名次第六名的成績升翰林院侍講，品級爲從五品。兩年之間，他升了四級，進入中級官員的行列。這一年，他在差試中又交好運，被派往四川任鄉試正主考。翰苑清貧，他因這趟差使收穫二千多兩銀子，一舉脱貧，并一次寄銀一千兩回老家。家中老少第一次得到他的實惠。

道光二十四年，他轉補翰林院侍讀，品級未動。次年五月，升詹事府右春坊右庶子，所做的事情没有變，品級升了一級，即爲正五品。六月，轉補左庶子。九月，升翰林院侍講學士，品級爲從四品。這一年年底，他又補日講起居注官，充文淵閣直閣事。雖未升官，所兼差使多，表明他受到的重視程度加重，在同級京官中的分量也跟著加重。

道光二十七年，三十七歲的曾國藩迎來他官宦生涯中最得意的一次遷升。這年四月，朝廷再次翰詹大考，曾氏名列二等第四，總名次第九。六月，升授內閣學士，兼禮部侍郎銜。一夜之間，由從四品的中級官員，驟升爲從二品的高級官員，連升四級。這次越級升擢，大出曾氏意外，令他感激莫名。這種心情，充分流露在他此時給祖父、叔父母、諸弟的家信中。他對祖父説：『孫荷蒙皇上破格天恩，升授內閣學士兼禮部侍郎銜。由從四品驟升二品，超越四級，遷擢不次，惶悚實深。』他對叔父母説：『本月大考，復荷皇上天恩，越四級而超升。侄何德何能堪此殊榮！』對諸弟説：『蒙皇上天恩及祖父德澤，予得超升內閣學士。顧影捫心，實深慚悚。湖南三十七歲至二品者，本朝尚無一人。予以德薄才劣，何以堪此！近來中進士十年得閣學者，惟壬辰季仙九師，乙未張小浦及予三人。而予之才地，實不及彼二人遠甚，

以是尤深愧仄。』

一次升四級，本已非常罕見，且年僅三十七歲，中進士剛十年，怪不得曾氏是喜極而悚！

一年半後，即道光二十九年正月，曾氏正式補禮部右侍郎缺，離開翰林院，做起禮部堂官來。不久，又兼兵部右侍郎。次年正月，道光皇帝去世。曾氏與道光朝的相處，至此結束。那時，曾氏尚不滿四十歲。

這是曾氏人生中一段極爲重要的時期。身處京師，視野、胸襟和學問都得到最好的拓展和提升，他也因此而有可能廣爲結識那個時代各個領域中的拔尖人物。更爲重要的是，他不到四十歲便成爲國家高級官員，爲日後的大事業打下了足够的位望基礎。

人們會問，曾國藩的官運爲什麽會這麽好呢？他憑什麽一路順風，甚至可以説是飛黃騰達呢？這是一個很難説得清楚的問題，大致説來，可能有如下幾個原因。

一是他的考運好。翰林院、詹事府的官員實事不多，考績的依據主要在于考試，其中最主要的考試是翰詹大考，由皇室親自主持。翰詹大考六年一次，曾氏有幸參加兩次，更有幸的是這兩次都考得很好。第一次一百二十四人進正大光明殿應考，曾氏的成績排名第六，算是名列前茅。第二次應考人數與前次差不多，曾氏的成績排名第九，也算是名列前茅。

二是曾國藩進京不久，就進入了當時京師一個頗有名望的理學研習群體。這個群體的首領是太常寺卿唐鑒。唐鑒乃理學大師，道德學問爲衆所欽佩，頗有點首都精神領袖的味道。圍繞他身旁的人，有許多是著名的學者、文化人，如倭仁、何紹基、吴廷棟、何桂珍、邵懿辰、陳源兖等。他們在一起探索理學精義，并身體力行，在京師官場中很有名氣。曾國藩在道光二十一年七月拜唐鑒爲師，正式進入這個圈子，并很快成爲其中重要一員。他以自己實實在在的修身養德而不是博取時譽的真誠，得到老師的信任和同伴的尊敬。持續五六年的研習活動，在提高他的精神境界的同時，也爲他在京師官場贏得良好的口碑。

三是他的詩文好。曾國藩留在近代史册上的東西，除開事功之外，就是他的詩文創作成就。他所開創的湘鄉文派，在文學史上有著一席地位。他在京師爲官期間，文名即已遠播。曾氏進京後不久，多次在家書中提到翰林院同事稱贊他的詩文好。道光二十五年，著名學者邵蕙西鑒于元明兩朝的古文無選本，他自己選元文，勸曾氏選明文。道光二十四年，他在給諸弟的信中説：『余于詩亦有工夫，恨當世無韓昌黎及蘇、黄一輩人可與發吾狂言者。』又説：『惟古文各體詩，自覺有進境，將來此事當有成就；恨當世無韓愈、王安石一流人與我相質證耳。』除詩文外，曾氏還擅長製聯語。據野史記載，當時流傳兩句話，道是『包寫挽聯曾滌生，包送靈柩江岷樵』。這些都表明，曾氏是道光朝後期京城一位著名的爲文高手。曾氏供職翰林院，其身份爲皇帝的文學侍從，且那又是一個崇尚詩文的時代，曾氏在這方面的出類拔萃，自然很受人尊敬。那時幾乎没有媒體，一個人的名聲遠揚主要依仗其詩文上的優勢，正如曹丕《典論》中所説的：『不假良史之辭，不托飛馳之勢，而聲名自傳于後。』

帝會體諒他一片愛護的苦心而虛心接受，不料龍顏大怒。野史上記載，咸豐皇帝氣得要撤掉曾氏的官職，幸而大學士祁寯藻與左都御史季芝昌爲他求情，以『君聖臣直』的話來恭維皇帝，咸豐帝纔撤銷對曾氏的處分。但還是親自寫了一段長長的批文，申明自己并無曾氏所指的缺點，并指責曾氏『迂腐欠通』。

經此打擊，曾氏從此不再直陳君上的過錯，而接受他父親的勸告，『不以直言顯，以善輔君德爲要』。這是曾氏與咸豐帝的最初交道。曾氏的剛直，使得平庸而多疑的咸豐帝心存芥蒂，埋下日後彼此不能合作協調共圖大事的種子。

咸豐二年八月，曾氏回家守母喪。此時太平軍已聲勢浩大，正在大張旗鼓圍攻長沙。不久，太平軍又一舉打下武漢三鎮，浩浩蕩蕩沿江東下，一路攻城奪隘，勢如破竹。咸豐四年二月，太平軍順利拿下南京，在此建都立國，與清朝廷分庭抗禮。東南半壁河山，已不再在愛新覺羅氏的掌控中。手忙脚亂的咸豐帝在一個多月裏，爲混亂的東南各省匆忙任命四十二個團練大臣，前禮部侍郎曾國藩是第一個被任命的人。

曾氏藉辦團練的機會拉起了一支名曰湘軍的軍隊。這支軍隊連輔助人員在内有一萬七八千人。經過幾次敗仗的鍛煉後，湘軍迅速成長爲一支能打硬仗的勁旅。咸豐四年八月二十三日，湘軍爲朝廷收復武昌、漢陽。捷報傳到京師，咸豐帝喜出望外，對身邊的大臣說：『不意曾國藩一書生，竟能建此奇功。』高興之餘，立即任命曾氏爲代理湖北巡撫。幾天後，某大學士得此消息，對咸豐帝說：『曾國藩乃在籍侍郎，猶匹夫耳。匹夫居閭里，一呼蹶起，從之者萬餘人，非朝廷之福。』咸豐帝聽了這句話後，黯然變色良久，隨即再下旨，撤銷曾氏的署理湖北巡撫之職，以兵部侍郎的虛銜領兵東下。前後兩道聖旨，相隔僅僅七天。從那以後，到咸豐十年四月，六七年之間，不管曾國藩立了多大的功勞，爲朝廷收回多少重要的城鎮，咸豐皇帝始終未給曾氏升一次官，晋一級品。

咸豐七年六月，在家守父喪的曾氏在回應再次出山的詔命時，向朝廷明確表示辦事艱難，若無督撫實權則不能帶兵。這是公然向朝廷要巡撫、總督的職務。面對曾氏的伸手要官，咸豐帝寧願放弃前命，也不答應。即便是咸豐十年四月，對曾氏兩江總督的任命，咸豐帝也是不爽快的。薛福成在《庸盦筆記》中說，撤掉丢城逃命的兩江總督何桂清之後，咸豐皇帝本來是任命胡林翼來接替的，胡林翼所留下的湖北巡撫的空缺則交給曾國藩。肅順對咸豐帝說：『胡林翼在湖北措注盡善，未可挪動，不如用曾國藩督兩江，則上下游俱得人矣。』咸豐帝接受了肅順的這個建議，纔有曾氏的江督之命。後來，曾氏的心腹幕僚趙烈文將曾氏帶兵以來所遭遇的不順，說得更加直白。他說曾氏『自咸豐二年奉命團練，以及用兵江右，七八年間坎坷備嘗，疑謗叢集。迨文宗末造，江左覆亡，始有督帥之授，受任危難之間。蓋朝廷四顧無人，不得已而用之，非户宸真能簡畀，當軸真能推舉也』。按趙的說法，咸豐帝任命曾氏爲兩江總督，實在是四顧無人，纔不得不讓他頂替，并非真心相信他。

一個受老皇帝特別恩寵的能幹大員，却在小皇帝手下如此窩囊，這到底是什麽原因呢？

我想，其間的緣故大約有以下幾點：

首先，是出于咸豐帝對曾氏個人的不信任，甚至猜疑。使得這種猜疑産生，除開上述曾氏的直率批評，讓咸豐帝不愉快外，還有三點。

一是曾氏乃穆彰阿的門生。咸豐帝做阿哥時便深惡穆彰阿，討厭穆黨。剛一上臺，便將穆彰阿徹底革職，永不叙用。咸豐帝斥責穆是『保位貪榮，妨賢病國。小忠小信，陰柔以售其奸；僞學僞才，揣摩以逢主意』。穆的黨羽遍于朝中，咸豐帝不可能對他們都采取行動。曾氏也不能算是穆黨中的重要分子。正因爲這樣，曾氏依舊做他的禮部侍郎，并在以後還兼過工部、刑部、吏部侍郎，但再也不可能像過去那樣受到特別的眷顧了。

二是曾氏辦湘軍，打的旗號是捍衛孔孟之道，而不是把保衛朝廷放在第一位上。曾氏這個思想體現在他的《討粤匪檄》一文中。檄文説，太平軍『舉中國數千年禮義人倫、詩書典則，一旦掃地蕩盡。此豈獨我大清之變，乃開闢以來名教之奇變，我孔子孟子之所痛哭于九原。凡讀書識字者，又烏可袖手安坐，不思一爲之所也』。于是，朝廷上有曾氏興兵究竟是『勤王』還是『衛道』之議。這種議論不能不讓咸豐帝和滿洲皇室有所戒備。

三是曾氏能力强號召力大，即薛福成所説的『匹夫居閭里，一呼蹶起，從之者萬餘人』。而辦團練初期的曾氏又純用法家手腕，敢作敢爲，獨斷專行，且連連參劾文武大員。這些表現，

换一個角度來看，也許就是大膽與跋扈。大膽與跋扈是可以直接導致妄爲的。聯繫到他敢于逆披龍鱗，咸豐帝不能不加以提防。

當然，最重要的原因，還得從軍權、體制與種族等方面來尋找根源。從軍權方面來説，自古軍權必須高度集中。擁有重兵的地方大員遭遇防範，于情于理都不奇怪。從體制方面來説，湖南出現的湘軍不是朝廷的經制之師，而是體制外的武裝力量。它好比一條河流，能載舟也能覆舟，朝廷不能不高度警惕。從民族來説，皇室是外來的少數民族。滿漢畛界，在有清一代都是清清楚楚的。滿人對漢人一向存著戒懼之心。現在有一股完全由漢人組成由漢人統率的强大軍隊，活躍在東南半壁山河上，這怎能讓滿洲權貴的代表咸豐帝放得下心？

怎麽辦？湘軍不能解散，還得重用大用，唯一的辦法就是又使用又制約，而最有力的措施便是以一支湘軍來制約另一支湘軍，即湘軍内部的互相制約，也就是以湘制湘。在這種思想的指導下，咸豐帝一面壓住地位最高、影響最大、實力最强的曾國藩，一面又大力扶持湘軍中的另外幾支主要人馬。在曾國藩授兩江總督之前，咸豐帝便已將資歷、地位、功勞遠不及曾氏的江忠源、胡林翼、劉長佑，先後越級提拔爲安徽巡撫、湖北巡撫、廣西巡撫。不得不授曾氏爲江督後，又急忙命左宗棠組建楚軍，在短短兩年多的時間裏，火箭般地將左從一個布衣提拔爲閩浙總督。

又用又疑，以湘制湘。這就是咸豐帝對待曾國藩的態度。咸豐帝所玩弄的這套把戲，當

然逃不脱精明老到的曾國藩的眼睛。他自有他的一套辦法來對付。朝廷用他，他也要用朝廷。他要藉朝廷之力，來實現自己建功立業的人生抱負。曾氏的態度可以用四個字來概括，叫作忠而不愚。『忠』是他對待朝廷的基本態度，也是他的底綫。無論是出于對傳統君臣之義的信守，還是出于對道光皇帝以及對愛新覺羅氏皇家的感激，曾氏都不會放弃忠于朝廷的根本立場。但曾氏又不是岳飛，他不願意像岳飛那樣以愚忠來對待朝廷。曾氏在創建湘軍以及帶領這支軍隊與太平軍、捻軍交手的十多年的戰争年月裏，他有不少獨立于朝廷外的自我思考和行動，最爲明顯的是他曾有過兩次抗旨行爲。

咸豐三年九月至十二月這段期間，曾氏接連四次奉到朝廷命他迅速帶勇援救湖北、安徽。曾氏那時正在衡州府操練湘軍，屢次以船炮未齊而推辭。曾氏的態度，令朝廷很惱火。十二月十六日，曾氏收到咸豐帝的親筆朱批。朱批的語氣嚴厲而刻薄：『現在安徽待援甚急，若必偏執己見，則太覺遲緩。朕知汝尚能激發天良，故特命汝赴援以濟燃眉。今觀汝奏，直以數省軍務一身克當。試問汝之才力，能乎否乎？平時漫自矜詡，以爲無出己之右者。及至臨事，果能盡符其言甚好；若稍涉張皇，豈不貽笑于天下？若設法趕緊赴援，能早一步，即得一步之益。汝能自擔重任，迥非畏葸者比。言既出諸汝口，必須盡如所言，辦與朕看。』

即便面對這樣的諭旨，曾氏仍然不改變自己的態度。他平心静氣地一條條陳述爲何不能立即出兵的道理，最後以不可商量的決斷語氣回復皇上：『與其將來毫無功績，受大言欺君之罪，不如此時據實陳明，受畏葸不前之罪。』咸豐帝看到這個奏摺後，也無話可説，衹得勉强同意。

咸豐十年春天，太平軍在李秀成的統率下，一舉踏平清軍駐扎在南京城外孝陵衛長達六七年的江南大營，其統領張國樑、和春，或淹死或自殺。兩江總督何桂清弃城逃命。江蘇巡撫徐有壬、浙江巡撫羅殿遵先後死于蘇州、杭州。江南重鎮丹陽、常州、無錫、蘇州、江陰、嘉興、昆山等全部落入太平軍手裏。

江浙兩省一片混亂，朝野震驚。匆忙之間，咸豐帝任命曾氏爲兩江總督，并一而再，再而三地嚴命他火速帶兵救援江蘇、浙江。但曾國藩面臨此一變局和朝廷的殷切期盼，异常地從容鎮定。他不以聖旨爲然，却提出一個三路進兵穩扎穩打步步爲營的統籌全域的作戰方案。曾國藩的臨亂不懼，與朝廷的驚慌失措形成鮮明的對照。自古『將在外，君命有所不受』，曾國藩以他的成竹在胸，迫使朝廷不得不接受他的安排。

還有一件事情，也很充分地體現曾氏不愚忠朝廷的態度。

咸豐十年八月，英法聯軍攻占北京城，咸豐皇帝倉皇逃離北京。在逃亡途中，給曾國藩下了一道令鮑超率軍北上勤王的命令。鮑超的霆軍是曾國藩手下一支最能打仗的軍隊，他不願霆軍離開江南戰場，更擔心被别人奪走。這道聖旨他不想接受。但皇帝正在危難之際，他又不能明白表示拒絶。于是他采取拖延的辦法。他上奏朝廷，説鮑超級别不够，北上勤王衹能在他和胡林翼兩人中選一個。當時安慶北京之間文報往返一次得一個月，曾氏估計這一個

月之內京師局面必定有大變化，北上勤王之事很有可能不必要。事情果如曾氏所料，最後此議取消。不過，曾氏不愚忠的態度，也從此一事件中清楚表現出來了。

一年後，三十一歲的咸豐帝，病死熱河行宮。曾國藩與咸豐朝相處的時期結束。經過一番流血的宮廷政變，慈禧太后上臺執政。曾氏與朝廷的交道又進入了一個新時期。

三、高度信任曾國藩的慈禧太后，仍不忘時時提防曾國藩手下的虎狼之師

慈禧上臺以後，一反丈夫對曾氏又用又壓的做法，而以高度信任的姿態對待曾氏。她先是命曾氏統轄江蘇、安徽、江西、浙江四省軍務，所有四省巡撫提鎮以下各官悉歸曾氏節制；接著又封曾氏爲太子少保、協辦大學士，同時批准曾氏所擬的浙、皖、蘇三省巡撫名單。就這樣，慈禧太后把整個東南戰場都交給了曾國藩，讓他擁有軍政人財全面權力。打拚十個年頭，曾氏真正贏來了屬于他的時代。

慈禧太后爲何如此相信曾國藩。我想，這第一是因爲慈禧和她的重要助手恭親王奕訢，在處理軍國大事上，其膽識和能力都要勝過咸豐帝。第二，由于安徽省城安慶恰在此時收復，湘軍的名聲再一次提高，慈禧急于依靠這支軍隊平定內亂，爲她自己贏得政治資本，鞏固她垂簾聽政的地位。第三，據說她在查抄肅順家時，發現唯獨沒有曾氏跟肅順有私人往來，由此確信曾氏是個可以信任的正派人。慈禧即便如此信任曾國藩，也沒有改變滿洲皇室防範漢人的根本立場，她同樣地對曾氏及其手下的虎狼之師嚴加戒備。這一點突出表現在同治三年夏秋南京剛收回的那段時期。

同治三年六月十六日，由曾國荃統率的湘軍吉字營轟開南京城牆，進入城內。太平軍與湘軍的角逐，最後以湘軍的勝利而結束。朝廷在接到捷報的當天，就給予參戰的立功人員以隆重的褒獎：曾國藩封一等侯，曾國荃、官文、李鴻章封一等伯，李臣典封一等子，蕭孚泗封一等男，此外還有人受封騎都尉世職、一等輕車都尉等，聖旨中直接點名受賞的人多達百多名。據曾國藩說，朝廷的這次獎賞，超過了平三藩與平准噶爾回部戰役，真可謂皇恩浩蕩。

但與此同時，一系列負面的動作也在相繼進行中。

一是藉南京城破當夜李秀成率一千餘人保護幼天王逃出城外一事，嚴厲譴責曾國荃失職。

二是嚴旨追查南京城內金銀財貨的下落，責令曾國藩迅速查清報明户部。

三是用毫不客氣的語言教訓曾國藩：『所部諸將，自曾國荃以下均應由該大臣隨時申儆，勿使驟勝而驕，庶可長承恩眷。』

四是命曾國藩立即就湘軍成軍以來歷年往來賬目造册上報。此舉實爲清查湘軍的經濟。

五是曾國藩後續的保舉單一連七次被部議打回。曾氏說，這在過去是從來沒有的事。

這一系列動作的目的，都在于打壓大勝後的曾氏兄弟及其部屬，警告他們不能得意忘形，朝廷隨時都可以制裁他們。

朝廷更擔心湘軍會有圖謀不軌之舉，采取了多種軍事措施預爲防範。先是在南京甫一易幟，

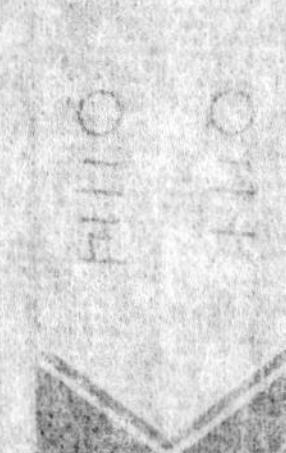

便派江寧將軍富明阿以查看滿營爲由進城，實際上是作爲朝廷耳目就近觀察。接著又命令鎮江城裏的綠營將領馮子材密切監視南京城内的湘軍動嚮。僧格林沁的蒙古馬隊，也奉命移營南下，駐扎在安徽、湖北一帶，瞪大眼睛盯著南京。

這種種迹象，曾氏兄弟都看到或覺察到了，知道有一股巨大的壓力正在向著他們兄弟和整個吉字營壓過來。正因爲此，取得所謂天下第一功的曾氏兄弟，并不是人們所想象的那樣志得意滿，喜氣洋洋。他們一個是心存憂懼，一個是中懷抑鬱，日子過得一點都不舒心。用曾氏的話來説，即『建非常之功勛，而疑謗交集，雖賢哲處此，亦不免于抑鬱牢騷』。

至于曾國藩，他對待以慈禧爲首的新朝廷，仍然是其一貫的忠而不愚的態度。從心裏來説，他感激慈禧對他的大爲超過咸豐時期的信任，盡心盡力地爲新主辦事。他對新朝廷的忠，突出表現在他對節制四省一事的態度上。節制四省軍政，這是新朝廷對曾氏的最大信任，也是東南戰場正需要的一種權力運作形式。對這項任命，曾氏應該是求之不得，但他還是在兩次推辭後纔接受。曾氏爲什麼要推辭？是謙虚嗎？是藉此表明自己無權力野心嗎？這些原因也許都有，但最主要的還不是這些。他是真心實意深謀遠慮地爲朝廷著想。在第一次辭謝摺裏，他提出的理由是『在朝廷不必輕假非常之權，在微臣亦得少安愚拙之分』。在朝廷堅持成命之後，他又上了一道辭謝摺，話説得更加明白：『所以不願節制四省再三瀆陳者，實因大亂未平，用兵至十餘省之多，諸道出師，將帥聯翩，臣一人權位太重，恐開斯世争權競勢之風，兼防他日外重内輕之漸。機括甚微，關係甚大。』這番話真是説得推心置腹而又意味深長。曾氏已經看到了這場戰争對朝廷而言，最大的後遺症便是權力下移，其後果將不堪設想。他希望朝廷看到這一現象，不要在他身上開這個口子，免得日後被人援爲前例，從而明正言順地向中央要權、分權。以慈禧太后爲首的新朝廷自然能體會曾氏的這番苦心，但時勢所驅，他們也衹能這樣做。

打下南京後，曾氏功成身退自剪羽翼，更是體現他對朝廷的最大的忠。南京硝烟未盡，他便勸弟弟曾國荃離開軍營，解甲歸田。他本人則是决不以功臣自居，從各個方面儘量淡化頭上的光環。更重要的是他立即著手部署裁撤湘軍，在很短的時間内將南京城内城外的湘軍裁撤十分之九。他用實際行動，表示絶對不會用手中的軍隊作爲要挾朝廷的工具，甚或是造反的力量。

當然，因湘軍的成功，清王朝實行了兩百多年的世兵制，從此被募兵制所取代。軍權政權高度集中于朝廷的制度也遭到毁滅性的打擊，一批握有軍政實力的地方軍閥開始出現，外重内輕的局面逐漸形成。五十年後，清王朝最終因此而丢掉了政權。追根溯源，皆要算到曾國藩的頭上。這些自是受歷史規律所制約，并非曾國藩本人的意圖。

同樣地，對慈禧新朝廷，他也不愚忠。

李秀成逃出南京後，没過幾天，就被鄉民抓獲，押送到曾國荃的大營。朝廷得知後，命

曾氏將李秀成『檻送京師，訊明後盡法處治』。但曾氏卻在李秀成寫完自述的當天夜裏就將他殺死，公然違背朝廷的命令。曾氏在給朝廷的奏摺中，申明之所以這樣做，是鑒于李秀成威望高，怕出意外，故而『力主速殺，免致疏虞，以貽後患』。曾氏爲什麽要在南京處置李秀成，而不願將他押送北京呢？據野史記載，其真正的原因有兩個。一則怕李說出南京城内所藏金銀的實際情況。社會上傳言南京城内是『金銀如海，財貨如山』，而曾氏的奏摺卻說打下南京後并未發現金銀。事實上，南京城的金銀都落到吉字營的腰包裏了。二則李表示願招納舊部投降曾氏，供曾氏驅使，并有勸曾氏反叛朝廷等話語。曾氏不願意李在朝廷審訊時說出這些東西，免得授人以柄。

可見，在關係到自身及湘軍集團重大利益等事上，曾氏的頭腦很清醒，他不想因愚忠而招禍。

四、晚年曾國藩受到朝廷的特殊尊崇，但他卻因此深感痛苦與無奈

經過十多年與太平軍及捻軍作戰的嚴酷考驗，以慈禧爲首的朝廷知道曾國藩是個可以信賴的忠臣幹吏。同治六年春，曾氏徹底離開軍營，來到南京做一個名符其實的兩江總督。這年五月，朝廷授曾國藩大學士。年底捻軍平定，朝廷又給曾氏加賞一雲騎尉世職。次年四月，朝廷授曾氏爲武英殿大學士。七月，調曾氏爲直隸總督。同治八年正月十六，同治小皇帝在乾清宮宴請廷臣，曾氏以武英殿大學士身份領漢大臣之首。這是曾國藩一生最爲榮耀的一刻。第二年夏天，他抱重病赴天津，不惜毀掉自己的名聲來實現朝廷所期望的和局，使得慈禧感嘆，稱贊他公忠體國。這年十月，他晉六十大壽，小皇帝親筆書寫『勛高柱石』匾額，表達朝廷特別尊崇之意。不久他便離開京師，重返兩江總督之任。同治十一年二月初四，曾氏以腦中風病逝于兩江總督衙門。曾氏的生命結束了，他與朝廷打交道的生涯也便隨之結束。

在生命的最後幾年，他遠離戰火，處人臣之極的地位，又受到朝廷的特殊禮遇，照理說，他應該高興、舒暢纔是，然而曾氏卻是在憂鬱甚至可以說是在痛苦中度過。他多次對家人說『亂世處大位乃人生之不幸』。得大學士之職時，他又對家人說：『人以極品爲榮，吾今實以爲苦惱之境。然時勢所處，萬不能置身事外，亦惟有做一日和尚撞一日鐘而已。』他甚至說死要比活著快樂。他在京師，自親王以下文武百官，對他恭敬不已，天天請他赴宴看戲，他卻視爲畏途。他以江南最高統帥的身份巡視各地，軍營將士們直以天神待他，放炮鳴鞭，列隊恭迎，他卻毫無欣慰之感。爲什麽這樣？其中一個主要原因是他晚年身體狀況非常糟糕。他患有癬疾、眩暈、雙目基本失明、心悸、舌蹇、足麻等多種疾病，身體虛弱得幾乎不能自持，但如此病軀卻要承受著各種重大國事公務以及繁瑣的日常政事。他渴望罷官回鄉，在林泉之間過幾天清閑日子，但朝廷卻始終不答應。他也自覺一身爲天下表率，不敢過于堅持。朝廷的尊崇與重用，對他來說完全是一種無可奈何的痛苦。

曾國藩與晚清道光、咸豐、同治三個朝代共處了三十多年。三十多年間，清朝廷給了曾

氏以地位與榮譽，幫助他實現了自己的人生抱負，同時也給他帶來難以言狀的壓力與勞累、痛苦與無奈，直到榨乾他身上的最後一滴血，讓他活活地累死在第一綫上。曾氏對朝廷，既感激忠誠、鞠躬盡瘁，又有自己的原則底綫。在他三十餘年的宦海生涯中，可以隱隱約約地看出他始終與朝廷保持著一段距離。他深知古往今來，凡高位大功都不易居。他早年對弟弟說過的一番話，最能道出他與朝廷相處的秘訣：『見可而留，知難而退，但不得罪東家，好去好來。』曾氏之所以大功高位而能持盈保泰壽終正寢，其奧妙大概就在于他做好了『留』與『退』這兩篇大文章。

强者品格與求闕心態

曾國藩人生的偶像是他的祖父星岡公，即曾玉屏。一直到他的晚年，處于封侯拜相位極人臣的位置，他仍然認爲自己不及祖父。考查曾氏一生，其祖父給他的影響最大者，主要在兩個方面。一爲治家。曾氏説他的治家八字訣，即『考、寶、早、掃、書、蔬、魚、猪』，完全是秉承星岡公的遺教。二是做人。關于星岡公的做人，我們可以從曾氏所寫的《大界墓表》《台洲墓表》，以及平時他寫給諸弟子侄的信中略見大概：此人早年行爲頗近浮蕩，中年幡然改過，講求農事，家道因此中興；治家有方，且樂于爲鄉鄰排難解紛，頗具領袖氣質；平時神情威嚴，不可侵犯，一家人都怕他。長孫點翰林，他對家人説過這樣的話：我們家仍然靠種田吃飯。看來，這是一個强悍的人。曾氏引用其祖父所説話中最多的一句是：『男兒以懦弱無剛爲耻。』正是受强悍祖父的影響，曾氏從小便具有强者性格。從遺傳的角度來看，曾氏的强者性格源于其母江氏。曾氏説過他的母親『每好作自强之言』，他與他的九弟都『秉母德』。『强』，可謂曾氏性格中的主導方面，貫穿他的一輩子。解剖曾氏性格中『强』，可以看到其中包括自强、好强、剛强、明强等多方面的内容。下面，我們略爲展開來説説。

一、自强是曾氏得以出類拔萃的首要原因

曾氏的家鄉位于丘陵重叠交通不便的偏僻山冲，曾氏的家庭是一個『五六百載無與科目

功名』的普通農家，這樣一個人家的子弟，要想有所出息，没有别的指望，一切都要靠自己。而當時的出息也衹有一條路，即藉科舉考試來進入仕途。曾氏所要走的正是這條艱難的羊腸小徑。他的父親雖説是個讀書人，但一連考了十七次，纔在四十三歲那年中秀才。天賦如何且不論，至少在猜題這點上是個低能兒，對于兒子的科考，他可謂一點忙也幫不上。就連考試，曾氏也得靠自己去琢磨。曾氏五歲發蒙，從小便發憤苦讀，詩文集中收有《小池》一首，傳説是他十四歲時的作品：『屋後一枯池，夜雨生波瀾。勿言一勺水，會有蛟龍蟠。物理無定資，須臾變衆竅。男兒未蓋棺，進取誰能料？』一個自强進取的少年形象躍然紙上。靠著這股成蛟成龍的志嚮，曾氏憑一己之力，順利通過層層考試，由秀才而舉人而進士而翰林，終于走出窮山陋壤，來到京師帝都，做了皇上的文學侍從。

除了家世寒素外，曾氏還是一個資質并不特别穎异的人，他經常説自己魯鈍，梁啓超也説他『在并時諸賢中稱最鈍拙』。他考秀才考了七次，直到二十三歲纔考中，會試三次纔中三甲，都是他非特别聰明的證據。一個資質一般的人，其成果的獲得，所付出的辛勞，毫無疑問要比别人更多。况且，曾氏的體質也不强健，甚至可以説是一個病號。他三十歲時大吐血，幾乎不治。三十五歲時開始得皮膚病，此病後來伴隨著他的後半生，而且有時非常嚴重。咸豐九、十年時期，他的日記中常有被此病折磨得痛苦難受的記載，他説此病令他『無生人之樂』。四十七八歲時，他得了嚴重的忡憂之症。這種憂鬱症害得他經常失眠，心中恐悸，兩眼昏花，甚至寸大的毛筆字都不能辨認，自己覺得隨時都有死的可能。到了五十五六歲以後，更是各種疾病都來了：眩暈、心悸舌蹇、不能多説話、右眼失明、左目微光、多次出現手脚麻木、失語的現象，終于在六十歲零三個月時死于腦中風，剛過下壽的底綫。

資質上并非天才，身體上又屬于病號，却有如許業績，靠什麽？他在給其九弟的信中説：『身體雖弱却不宜過于愛惜，精神愈用則愈出，陽氣愈提則愈盛，每日做事愈多，則夜間臨睡愈快活。若存一愛惜精神的意思，將前將却，奄奄無氣，决難成事。』正是仗著這種湖南人特有的霸蠻，曾氏硬是戰勝了自己的一些先天性不足，令許多天才和壯健者自愧不如。

二、好强是曾氏人生的一個重要推動力

好强即争强好勝。這一點，曾氏晚年與他的心腹幕僚趙烈文很坦率地談過。同治六年八月二十一日，趙烈文在日記中寫道：『滌師復來久譚，自言：初服官京師，與諸名士游接，時梅伯言以古文、何子貞以學問書法皆負重名。吾時時察其造詣，心獨不肯下之。顧自視無所蓄積，思多讀書，以爲异日若輩不足相伯仲。』又説：『起兵亦有激而成。初得旨爲團練大臣，借居撫署，欲誅梗令數卒，全軍鼓噪，入署幾爲所戕，因是發憤募勇萬人，浸以成軍，其時亦好勝而已。不意遂至今日，可爲一笑。』這兩段話，活脱脱地勾畫出一個好勝者的形象。早年，曾氏在京師做翰林，學問、文章、書法都是他的主業，對于這些領域中當時領京師風騷的梅曾亮、何紹基，曾氏并不服氣。這種心情，他在給諸弟的信中也透露過：『惟古文各體詩，

自覺有進境，將來此事當有成就；恨當世無韓愈、王安石一流人與我相質證耳。」這一段話説得更直白，在他的眼裏并無梅、何等人的地位，能與他談詩論文的祇有韓愈、王安石這些人。好勝之心，何等强烈！好在曾氏雖好勝，却不狂妄，他知道取勝之道在自己的努力：「多讀書。」最後仍落在自强這一點上。

中年奉旨出山辦團練，原本是做個全省民兵頭，結果後來成了一個名符其實的三軍統帥，曾氏對趙説，這是因爲「有激而成」。當然，這裏面原因很複雜，絶不僅僅祇是「激」的問題，但無疑，「激」是其中原因之一。

曾氏辦團練時受過什麽刺激呢？這段話説得很簡單，王闓運在《湘軍志》中道出其中的詳情：「長沙協副將清德，自以爲將官不統于文吏，雖巡撫，例不問營操，而塔齊布諂曾國藩，壞營制。提督鮑起豹者昏庸自喜，聞清德言，則揚言盛暑操兵虐軍士，且提督見駐省城，我不傳操，敢再妄爲者，軍棍從事。塔齊布沮懼不敢出，司道群官皆竊喜，以爲可懲多事矣。提標兵固輕侮練勇，倚提督益驕。適湘勇試火槍傷營兵長夫，因發怒，吹角執旗，列隊攻湘勇。城上軍皆逾堞出，城中驚嘩。國藩爲鞭試槍者以謝，乃已。俄而辰勇與永順兵私鬥。辰勇者，塔齊布所教練也。提標兵益傲怒，復吹角列隊討辰勇。于是，國藩念内鬥無已時，且不治軍，即吏民益輕朝使，無以治奸宄，移牒提督，名捕主者。提督亦怒，謾曰：「今如命，縛詣轅門。」

標兵洶洶滿街。國藩欲斬所縛者以徇，慮變，猶豫未有所決。營兵既日夜游聚城中，文武官閉門不肯誰何，乃昌狂圍國藩公館門。公館者，巡撫射圃也，巡撫以爲不與己公事。國藩度營兵不敢决入，方治事，刀矛竟入，刺欽差隨丁，幾傷國藩。乃叩巡撫垣門，巡撫陽驚，反謝，遣所縛者，縱諸亂兵不問。司道以下公言曾公過操切，以有此變。」

王闓運這段話説得很清楚，「全軍鼓噪」祇是事情的表面，背面的原因是湖南文武官場都不把曾氏看在眼裏，因爲此時的曾氏，祇是一個在籍侍郎，并没有實權。曾氏對人説，他當時在長沙所受到的待遇是别人的「白眼相看」，即王所説的「輕朝使」。于是，曾氏要爲自己的待遇而争鬥。好在曾氏明智，他走的也不是如某些人的做法——直接與長沙官場文武論道理，而是離開長沙去衡州府。短短的四個多月，便招募水陸一萬人，再加上隨軍長夫七八千人，號稱兩萬，一支真正的軍隊就這樣建立了。曾氏曾經對兒子説過：「天下事無所爲而成者極少，有所貪有所利而成者居其半，有所激有所逼而成者居其半。」看來，招募湘軍這件事，是曾氏心中激逼而成的一樁事例。

三、剛强是曾氏出任艱巨時性格中的重要表徵

咸豐二年底，曾氏奉旨出山辦團練。他所面對的是混亂的社會秩序和因動亂而沉渣泛起的各色不法分子，這就是所謂的亂世。亂世當用重典。一個程朱理學信徒就這樣被迫地接受法家理論，與之相應的則是剛强的外在表現。剛者，硬也，即處世待物，態度强硬。初辦團

練時的曾氏，其剛强一面得到淋漓展示。他在給朝廷的奏摺裏這樣寫道：『今鄉里無賴之民，囂然而不靖，彼見夫往年命案盗案首犯逍遥于法外，又見夫近年粤匪土匪之肆行皆猖獗而莫制，遂以爲法律不足憑，官長不足畏也。平居造作謡言，煽惑人心，白日搶劫，毫無忌憚。若非嚴刑峻法，痛加誅戮，必無以折其不逞之志，而銷其逆亂之萌。臣之愚見，欲純用重典以鋤强暴，但願良民有安生之日，即臣身得殘忍嚴酷之名亦不敢辭；但願通省無不破之案，即剿辦有棘手萬難之處亦不敢辭。』他在湖南公然推行『就地正法』的政策：若查明有不法情事，重者殺頭，次者杖斃。行刑方式雖有不同，但都是一死，因此得『曾剃頭』之惡名，但他不在乎。

對犯事者是這樣，對同一個營壘的人也這樣：若不合作，則嚴厲參劾，毫不講情面。

咸豐三年六月，他特參與他對著幹的長沙協副將清德。這份參劾奏摺用詞尖利，比如『庸劣武員』，『操演之期，該將從不一至，在署偷閑』，『一切營務武備茫然不知，形同木偶』，『該將疲玩如此，何以督率士卒』。正摺之後，又附一片，更揭發清德在太平軍攻打長沙時，居然『自行摘去頂戴，藏匿民房』。對于這種臨陣脱逃的將領，曾氏建議朝廷『革職，解交刑部，從重治罪』。清德的仕途，便到此了結。

咸豐五年六月，他又嚴參對他陽奉陰違的江西巡撫陳啓邁。他在歷數陳的椿椿劣迹之後，寫下這樣一段文字：『臣與陳啓邁同鄉同年同官翰林，嚮無嫌隙，在京師時見其供職勤慎，自共事數月，觀其顛倒錯謬，迥改平日之常度，以致軍務紛亂，物論沸騰，實非微臣意料之所及。臣既確有所見，深恐貽誤大局，不敢不瑣叙諸事，瀆陳于聖主之前。』若不是深恐貽誤大局，何至于參劾同鄉同年同官翰林者？咸豐帝也不能不俯于所請，下達聖旨：『陳啓邁著即革職。』

同治元年正月，身爲兩江總督的曾氏參劾前安徽巡撫翁同書的一摺，更被奉爲參摺的典範：因爲深得參摺的『辣』字要訣，令朝廷不得不接受。翁同書作爲巡撫，却臨陣逃遁，又養癰貽患，本該嚴懲，但翁父爲帝師宰相，慈禧有意徇情。曾氏深知此中原委，乾脆在奏摺中先點明這一點：『臣職分所在，例應糾參，不敢因翁同書之門第鼎盛瞻顧遷就。』慈禧這下没法子了，衹得從重處罰翁。

所有這些，都見曾氏的剛强一面：强硬剛烈，決不妥協！對于所遭遇的挫折和拂逆，曾氏同樣也以强硬的態度對待。同治五六年間，復出任湖北巡撫的曾國荃，無論在人際關係和戰爭中都屢屢不順，曾氏勸告乃弟：『弟當此百端拂逆之時，亦衹有逆來順受之法，仍不外悔字訣，硬字訣而已。』這裏所説的硬，就是硬著頭皮挺住的意思。曾氏曾對李鴻章等幕僚講過一個故事，説有兩個都挑著擔子的人，在狹窄的田埂上相遇，彼此都不讓路，從中午一直到傍晚，兩個人就這麽耗著，結果是其中一人的老爹出面圓場纔了結。曾氏説這就是他的《挺經》，共有十八條，此爲其中之一條。硬字訣大概是《挺經》中的另一條。

四、在與太平軍的角逐中，頑强是其制勝的關鍵之一

從咸豐二年底出山辦團練，到同治三年六月吉字營攻下南京，曾氏爲了這個勝利，整整

用了十一年半的時間，而洪秀全從廣西金田村起義，到奪取南京，衹用了兩年兩個月。時間相差的懸殊，説明湘軍與太平軍之間角逐的艱難，其艱難主要體現在軍事上。在一段很長的時間裏湘軍與太平軍打仗，都是敗多勝少，他本人就有過兩次兵敗投水自殺的經歷。尤其在咸豐五六年間，身在江西前綫的曾氏，常常處于太平軍的四面圍困中。太平軍的浩大聲勢，令曾氏多次發出過『不可平定』的嘆息。咸豐五年二月，他在奏摺中對自己當時的心情有過生動的描述：『聞春風之怒號，則寸心欲碎；見賊船之上駛，則繞屋彷徨。』後來王闓運讀到這篇摺子，感嘆：『夜覽滌公奏，其在江西時實悲苦，令人泣下……《出師表》無此沉痛。』

心情雖沉痛，間或也有絶望感，但他始終没有放弃，特别是經過一年多的家居反省後，心志更加堅定，處事也日趨圓融。他將幕僚的『屢戰屢敗』改爲『屢敗屢戰』，常常以『好漢打脱牙和血吞』來勉勵部屬，以及調侃自己是『文韌公』等等，都説明他的堅韌頑强，百折不回的性格。終于，他等到天時，迎來轉機，走上節節勝利的軍事坦途。

五、强者性格的最高境界：明强

咸豐七年二月至八年六月，曾氏在家爲父親守了一年多的喪。在這段喪期裏，他反反復復將出山五年來的所作所爲，作了一番錐心刺骨的反思，經過這樣一番痛定思痛的自我冶煉，曾氏在思想境界上有了一個質的飛躍，促使這個飛躍的是道家學説的精髓：順其自然、以柔克剛。自那以後，曾氏不再那麽一味『功可强成，名可强立』了，待人處事也不再像先前那

樣剛烈硬倔了。當然，强是他的性格使然，他也不可能完全抛弃，衹是他講得更多的是明强；而恰恰是這個明强，讓他的强者性格走進了爐火純青的境界。

曾氏的九弟國荃與他一樣，也是一個好强的人。老九的强有點過分，帶有强梁、强横的味道。他出任鄂撫不久，就嚴參湖廣總督官文，給他羅列一大堆罪狀。官文固然不是一個幹事的人，但説他是肅順黨與，不僅證據不足，且有置人于死地之嫌；何况官文身爲滿人，乃朝廷親信，如此一參，將給朝廷難堪。于公于私，老九此舉，都太不明智！曾氏深爲老九的莽撞而痛心，但對于這個被他視爲給他以及整個曾氏家族帶來巨大榮耀的弟弟，他又不好過多指責。于是，在那段時期裏，曾氏反復給九弟講明强：『擔當大事，全在明與强兩個字上。《中庸》中的學、問、思、辯、行五個方面，其重要之處歸結在雖愚必明、雖柔必强這句話上。』『强字原是美德，余前寄信，亦謂明强二字斷不可少。但强字須從明字做出，然後始終不可屈撓。若全不明白，一味横蠻，待他人析之以至理，證之以後效，又復俯首輸服，則前强後弱，京師所謂瞎鬧者也。』

所謂明强，即明智的强，不是横蠻的强、瞎胡鬧的强。明强中的一個最主要的内容，便是在自勝處求强，而不在勝人處求强。曾氏這樣規勸其弟：『吾輩在自修處求强則可，在勝人處求强則不可。若專在勝人處求强，其能强到底與否尚未可知，即使終身强横安穩，亦君子所不屑道也。』通過自身的努力，來修煉優良的人格，壯大自己的實力，這就是我們通常所説的自强，企圖以打壓别人來增强自己的做法，這就是我們常説的豪强。豪强不可能長久，

因爲它必將激起打壓者的反抗與仇恨，如同坐在隨時都可能爆發的火山口上。建築在洞悉世事人情基礎上的明强，纔算是真正進入化境的强大；無疑，自强是明强中的重要成分。

古往今來，在軍政舞臺上活躍着的人物，幾乎都是清一色的强者性格，而且這些强悍者又大多是强到底硬到頭的角色。但同樣身爲軍政首領，曾國藩却既具强悍氣勢，又藏求闕心態。在這個舞臺上，如曾氏者并不多見。求闕心態同樣是曾氏性情中的一個重要部分，研究曾氏，决不能忽視這一點。

早在道光二十四年三月，他在給諸弟的信中就講到了求闕（闕者，空缺、虧損也）：『兄嘗觀《易》之道，察盈虛消息之理，而知人不可無缺陷也。日中則昃，月盈則虧，天有孤虛，地闕東南，未有常全而不缺者。……衆人常缺，而一人常全，天道屈伸之故，豈若是不公乎？今吾家椿萱重慶，兄弟無故，京師無比美者，亦可謂至萬全者矣。故兄但求缺陷，名所居曰求缺齋。蓋求缺于他事，而求全于堂上。』

第二年，他又專門寫了一篇文章，題爲《求闕齋記》，説明爲什麽要將居室命名曰求闕齋：『國藩讀《易》，至《臨》而喟然嘆曰：……天地之氣，陽至矣，則退而生陰；陰至矣，則進而生陽。一損一益者，自然之理也。』『物生而有嗜欲，好盈而忘闕……若國藩者，無爲無猷，而多罹于咎，而或錫之福，所謂不稱其服者歟？于是名其所居曰求闕齋。凡外至之榮、耳目百體之嗜，皆使留其缺陷。』

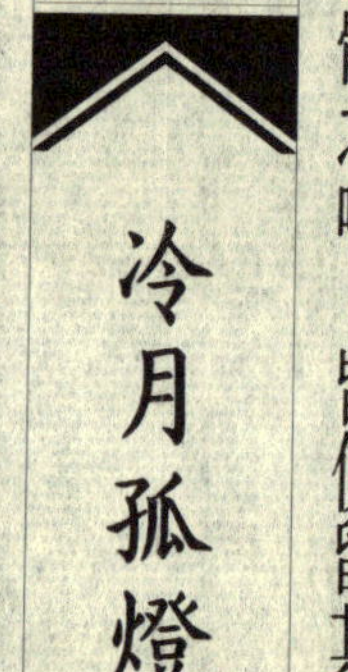

從這兩段話看來，曾氏的求闕觀念源于《易經》。從《易經》的《豐卦》所説的『日中則昃，月盈則食。天地盈虛，與時消息』這些話中，他明白了盈虛消息的道理。所謂盈虛消息，就是説天地之間的充實與空虛，是隨著時間的變化或生長或消落的。從《易經》的《臨卦》中，他明瞭宇宙間陽至生陰、陰至生陽的道理。

《易經》這部儒家經典揭示了宇宙自然中一個很重要的現象，即萬事萬物隨時都處在變化之中。這種變化的特點是盈、虛、消、息互相轉化，沒有久盈久息，也不會久虛久虧；盈到一定時候就會變爲虛，息到一定時候也會變爲消，反之亦然。《易經》將宇宙自然這兩種互相對立又互相依存的現象以陽和陰兩個符號來代表，于是可以簡化而以陽至生陰、陰至生陽來概括。這就是《易經·繫辭》所説的『一陰一陽謂之道』。這種變化的另一特點是：盈滿是短暫的，一旦到了這種時刻，便會立即向虧缺方嚮轉化，反之，虧缺却是長期的；而盈滿又是少見的，虧缺則是普遍存在的，如天有孤虛、地缺東南等等。

這一特點，彰顯的纔是宇宙自然的真相。老子説：『人法地，地法天，天法道，道法自然。』人歸根結底得效法自然，如此纔能生存得好。既然虧缺是自然的常態，那麽，有缺陷也便是人的常態，真正得道之君子，要安于有缺陷的生存狀態。北宋大書法家蔡襄有一首詩，道是：『花未全開月未圓，看花得月思依然。明知花月無情物，若使多情更可憐。』（《十三日吉祥院探花》）曾氏同治二年正月給其九弟信中説：『平日最好昔人「花未全開月未圓」七字，以爲惜福之道、

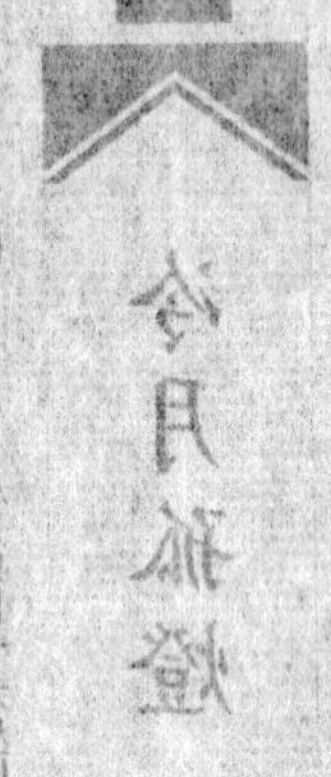

保泰之法莫精于此。』

『花未全開月未圓』是一種狀態，『花好月圓』也是一種狀態，前者有所欠缺，但是常態；後者看似圓滿，却很短暫。前者處在一種上升態勢，接著來的將會更好；後者却因處極點，接踵而至的將是凋謝的恐懼與虧虛的沮喪。故而，曾氏認爲前者好。

咸豐七年後，曾氏的思想行爲更加傾向于道家學説。道家學説的核心是以自然爲法，故而曾氏求闕心態也便更加濃烈，不但不作盈滿之想，他甚至還提出『天道惡盈』的觀點。惡者，厭惡、憎恨也，比之于『不求』又更進一步了。他爲此特别看重管子所説的『斗斛滿則人概之，人滿則天概之』這些話。他對這兩句話加以闡述：『余謂天之概無形，仍假手于人以概之。霍氏盈滿，魏相概之，宣帝概之；諸葛恪盈滿，孫峻概之，吴主概之。待他人之來概而後悔之，則已晚矣。吾家方豐盈之際，不待天之來概，人之來概，吾與諸弟當設法先自概之。自概之道云何，亦不外清、慎、勤三字而已。吾近將清字改爲廉字，慎字改爲謙字，勤字改爲勞字，尤爲明淺，確有可下手之處。』

曾氏關于求闕、花未全開月未圓、天道惡盈這些説法，都表明從中年開始到晚年時期更强烈的不追求圓滿、經常保持某些欠缺的心態。我個人認爲，這種心態是一種好的心態。其好處在于：

（一）不追求完美

常人都追求齊全，追求完美。『求闕』的心態則不主張這樣，倒是希望常常有點不足，有點遺憾。到底是完美好呢？還是有點缺憾好呢？這中間没有孰是孰非的問題，而是取决于一種處世態度。比來比去，可能還是以存闕爲好。因爲『完美』很難達到。『完美』是没有固定標準的，爲著一個虚幻的目標去拼死拼活地追求，人很累，而意義却不大。正因爲此，『斷臂維納斯』纔格外受到人們的欣賞，『月兒船』比『滿輪月』更令人想象無窮。

（二）注意自律

既然有欠缺是正常的，過于盈滿則有可能帶來災難，那麼，正處于盈滿狀態的人們，則需要時時保持警覺意識，要有不待『天概』先設法『自概』的想法。自概即自律。曾氏的自律手段是清、慎、勤、廉、謙、勞，即謙虚、謹慎、清廉、勤勞。除這幾點外，手握重權譽滿天下的曾氏，還常常向朝廷表示要分權讓賞，即辭掉一部分職位，推讓一些獎賞。其治家之道的核心，也是『雖鼎盛，不可忘寒士家風味』。

這種種『自概』之道，能幫助盈滿者保持清醒冷静的頭腦，不至于因位崇權重勢大名高而自我膨脹，驕縱放肆，從而招致怨恨而遭天概即人概：别人起來除掉你。

細細揣摩曾氏的求闕心態，其主要目的是針對『貪欲』而來的。人性有許多缺點，『貪欲』應是普遍而又爲害最大的缺點。佛家要戒『貪』『嗔』『痴』，儒家提倡『不忮不求』，道家主張『清心寡欲』，其矛頭所指都是人性中的『貪欲』。

保泰之法莫過於此。」

「花未全開月未圓」是一種狀態，「花好月圓」也是一種狀態，前者有所欠缺，但是常態，後者看似圓滿，卻很短暫。前者處在一種上升態勢，接著來的將會更好，後者卻因處在頂點，接踵而至的將是凋謝與衰落。故而，曾氏認為前者好。

咸豐七年後，曾氏的思想行為更加傾向于道家學說。道家學說的核心是以自然為法。故而曾氏求闕心態也便更加濃烈，不但不作盈滿之想，甚至還提出「天道惡盈」的觀點。惡者，厭惡、憎恨也，比之于「不求」又更進一步。他為此特別看重古人所說的「日中則昃，月盈則虧」和「人滿則天概之」這些話。他對這兩句話加以闡述：「余謂天之概無形，仍假手于人以概之。霍氏盈滿，魏相概之，宣帝誅之；諸葛恪盈滿，孫峻概之，吳主誅之。待他人之來概而後悔之，則已晚矣。吾家方豐盛之際，不待天之來概、人之來概，吾與諸弟當設法先自概之。自概之道云何？亦不外清、慎、勤三字而已。吾近將清字改為廉字，慎字改為謙字，勤字改為勞字，尤為明淺，確有可下手之處。」

曾氏關于求闕、花未全開月未圓、天道惡盈這些說法，都表明從中年開始到晚年時期更強烈的不追求圓滿、經常保持某些欠缺的心態。我個人認為，這種心態是一種好的心態。其好處在于：

（一）不追求完美

冷月孤燈 卷一 解讀曾國藩 唐浩明讀史隨筆集 〇四四 〇四三

常人都追求齊全，追求完美。「求闕」的心態則不主張這樣，倒是希望常常有點不足，有點遺憾。到底是完美好呢？還是有點缺憾好呢？這中間沒有孰是孰非的問題，而是取決于一種處世態度。比來比去，可能還是以存闕為好。因為「完美」很難達到，「完美」是沒有固定標準的。為著一個虛幻的目標去拼死拼活地追求，人很累，而意義卻不大。正因為此，「斷臂維納斯」格外受到人們的欣賞，「月兒彎」比「滿輪月」更令人想象無窮。

（二）注意自律

既然有欠缺是正常的，過于盈滿則有可能帶來災難，那麼，正處于盈滿狀態的人們，則需要時時保持警覺意識，要有不待「天概」先設法「自概」的想法。自概即自律。曾氏的自律手段是清、慎、勤、廉、謙、勞，即謙虛、謹慎、清廉、勤勞。除這幾點外，手握重權、聲滿天下的曾氏，還常常向朝廷表示要分權讓賞，即辭掉一部分職位，推讓一些獎賞。其治家之道的核心，也是「雖富貴，不可忘寒士家風味」。

這種「自概」之道，能幫助盈滿者保持清醒冷靜的頭腦，不至于因位崇權重勢大名高而自我膨脹，驕縱放肆，從而招致眾恨而遭天嫉和人嫉，別人起來除掉你。

細細揣摩曾氏的求闕心態，其主要目的是針對「貪欲」而來的。人性有許多缺點，「貪欲」是普遍而又為害最大的缺點，佛家要戒「貪」「嗔」「痴」，儒家提倡「不忮不求」，道家主張「清心寡欲」，其矛頭所指都是人性中的「貪欲」。

『貪欲』或許也可以成爲人類進取的一個推動力，但縱觀人類文明發展史，它給人所帶來的禍患要更多些。古話説『欲壑難填』，人一旦沉入『貪欲』之中，則永遠没有快樂感，幸福感。反之，『求闕』則能使人涌出滿足之感，滿足之感則可以生發惜福之心，惜福之心則將萌動感恩情懷，感恩情懷則將導致幸福感覺。故而，求闕心態有可能將人引進幸福之中。

缺乏幸福感，影響的衹是個人情緒，更可怕的是，『貪欲』有可能使人喪失理智，做出昏亂的判斷，甚至做出傷天害理、違反國法的事情來，到那時，則後果不堪設想。

既自强又求闕，既懂得『天行健』之宇宙精神又明乎『盈虚消息』之自然法則，這是曾氏以其一生的複雜經歷，爲後人留下的一筆文化遺産。

一生三變

一

國學即中國傳統學問博大精深，在先秦至漢初這段時期，便有諸子百家之説。《漢書·藝文志》中説：『凡諸子百八十九家，四千三百二十四篇。』其中主要者有十家，即儒、墨、道、法、兵、縱横、農、名、雜、小説。這十家中影響最大的有三家，即儒、法、道。到漢武帝時期官方實行罷黜百家、獨尊儒術的政策，儒家學説被抬到至尊地位。但是，這種政策也衹是體現在國家層面上，如國家政策制定的理論基礎，國家官員選擇的考核標準，以及社會的道德觀、價值觀的取嚮等等，至于其他學説尤其是法家、道家學説，因其不可忽視的思想價值，依舊被社會所看重。記載這些學説的書籍，兩千餘年來也流傳不衰，世世代代培育著中華民族的精神品格，滋潤著中華兒女的心靈智慧。許多有成就的政治家、有見識的士人，在治理國家政務上，在打造自己的精神世界上，都并非純用儒家學説，而是兼用法家、道家學説。

近世有一個著名的政治家、學者，在這個方面表現得極爲突出，也因此而取得事業与人生的巨大成功。這個人便是曾國藩。

二

曾國藩去世不久，他生前的一位至交歐陽兆熊説過一段這樣的話：『文正一生凡三變……

其學問初爲翰林詞賦，既與唐鏡海太常游，究心儒先語録，後又爲六書之學，博覽乾嘉訓詁諸書，而不以宋人注經爲然。在京官時，以程朱爲依歸，至出而辦理團練軍務，又變而申韓。嘗自稱欲著《挺經》，言其剛也。咸豐七年，在江西軍中丁外艱，聞訃奏報後，即奔喪回籍，朝議頗不爲然。左恪靖在駱文忠幕中，肆口詆毁，一時嘩然和之，文正亦内疚于心，得不寐之疾。予薦曹鏡初診之，言其岐黄可醫身病，黄老可醫心病，蓋欲以黄老諷之也……此次出山後，一以柔道行之，以至成此巨功，毫無沾沾自喜之色。』這是一段研究曾氏很重要的文字，值得細細解讀。

歐陽説，曾氏的學問，最先是用功于詩詞歌賦上，這是翰林院的職業所要求的。後來他跟唐鑒交往，便轉向儒家學説，其後又研讀漢學，博覽乾嘉時代漢學大家的著作，不以宋代注經者的觀點爲然。在朝廷上做官時，以程朱之學爲依歸。出京後辦理團練和軍營事務，又改變而轉向申韓法家之學。曾經説過要寫一部《挺經》，意思是表明他的剛毅頑强。咸豐七年二月，他的父親病故，他向朝廷呈遞請假摺後不待批准，便奔回原籍。朝廷上的議論對此頗爲不滿。左宗棠那時在駱秉章幕府，對曾氏此舉大加批評，一時間官場皆附和，曾氏也感到内疚，于是得了嚴重的神經官能症，睡不著覺。歐陽遂推薦曹鏡初爲他治病。曹説他的醫術衹能醫治身體上的毛病，至于心裏的病得靠黄老之學來醫治。曹鏡初是想以黄老之道來暗示他，希望他能按黄老的學説辦事。曾氏由此醒悟過來，復出後，一律以柔的原則來行事，以至于成就了這樣大的功業，而毫無沾沾自喜的表現。

歐陽在這裏爲我們清楚地勾畫了曾氏在學理修持上的三次大變化：早期在京師，從詞賦之學一變爲儒家之學；離開北京到了地方辦團練，則從儒家之學二變爲申韓之學；咸豐八年復出之後則從申韓之學三變爲黄老之學。儒、法、道三家，分别成了曾氏三個不同時期的思想和行爲的主導學説。

三

現在來具體説説他的這個『三變』。

道光十八年，二十八歲的曾國藩中進士點翰林。二十多年的寒窗苦讀，終于取得了最爲理想的成績，儘管有過三次會試的經歷，但曾氏的科舉之道，總的來説走得非常順利。五六百年未入科目功名之列的鄉村曾家，驟然間出了一個翰林，這真是破天荒的大事。做一個好翰林，那時自然是性格穩重的曾氏心中最大的願望。翰林院的職責有以下幾個主要方面：充當皇帝的學術、文學顧問；參與各種敕撰書籍的纂修，草擬朝廷文告；會試期間充當考官。顯然，翰林院是一個文化部門，讀書作詩文即積纍學問經營文字，是做好本職工作的重要基礎。初進翰苑的曾氏，致力于詞賦之學是理所當然的。吟詩作文，也是爲他所喜愛并擅長的事情。翰林院除開是文化部門之外，它還是一個出幹部的部門，即所謂的儲才養望之地。中央各部的堂官、地方各省的督撫，不少是從翰林院裏走出去的。正因爲此，當道光二十一年，唐鑒告

訴曾氏爲學應當以朱熹之書爲宗師的時候，他欣然接受，并在此後很長一段時間裏嚴格按朱熹的所説身體力行。唐鑒字鏡海，湖南善化人，以研究理學享譽于世，當時剛從江寧布政使職位上調任太常寺卿。唐鑒對曾氏説，學問有三門，即義理、考核、文章。義理這方面程朱的學問最好，考核之學多求粗遺精，瑣碎而不得大義，不必致力，至于文章之學，則以精于義理爲基礎。文章也不必多用功，用功應在義理上。唐鑒還具體爲曾氏指出：檢攝于外，在『整齊嚴肅』四字上，持守于内，在『主一無適』四字上。唐鑒教曾氏從詞賦詩文之學中走出來，認真研讀義理之學，其實質上是要曾氏將功夫從技能的提高轉嚮心性的修煉上。

心性修煉就是人格的打造，用我們今天的語言來説，即人的綜合素質的培養，這是最爲根本的事情。今後能不能擔負起國家的重任，能不能成就一番大的事業，第一等重要的并不在能力上，而是在素質上。假若時運不濟，不能成大事而衹能做一個平民百姓，『素質』也是決定他在人群中所處狀況的重要條件。

按照唐鑒的指引，曾氏爲自己的心性修煉列出五門功課，即修誠、居敬、主静、謹言、有恒。

誠是理學中最重要的理念。《中庸》説：『誠者，物之始終，不誠無物。』理學的開創者周敦頤説：『誠者，聖人之本。』

曾氏將誠作爲修身的基礎，要求自己『開口必誠』，做到不自欺即以誠對己，不欺人即以誠待人，將『誠』作爲立世的根本。

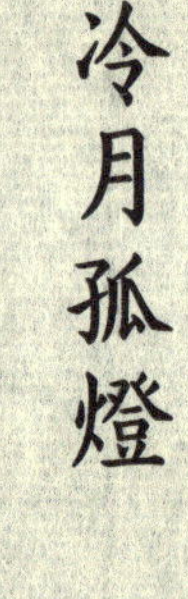
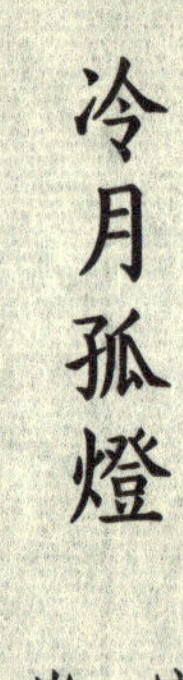

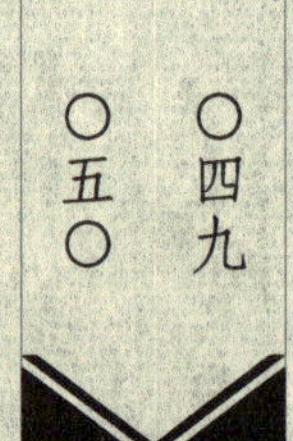

曾氏在道光二十四年三月的一封家書中專門談到他近日所作的五箴。其中《居敬箴》中説：『誰人可慢？何日可弛？弛事者無成，慢人者反爾。』由此可知所謂居敬，就是指對人對事的一種恭肅心態。懷著恭肅的心態，纔會有謙恭待人勤勉辦事的行爲。

其《主静箴》中説：『神定不懾，誰敢余侮？』『我慮則一，彼紛不紛。』説的是心神的寧静專一，這是應對忙亂甚至危急的最好心理狀態。其《謹言箴》告誡自己不巧語、不閑言、不講道聽途説的話、不作誇誇之談。所説的應該謹慎實在。其《有恒箴》中警示自己辦任何事都得持之以恒：『黍黍之增，久乃盈斗。』

曾氏以日記爲督促手段，要求自己做到能慎獨，即在没有任何外在監督和約束的情況下，也能按照聖人所教誨的那樣去做。他早年的日記，基本上就是這種自我監督、自我約束的記録。

在此期間，他立下兩個志嚮。一爲不以做官發財爲目的。道光二十九年三月給諸弟信上説：『予自三十歲以來，即以做官發財爲可恥，以宦囊積金遺子孫爲可羞可恨。故私心立誓，總不靠做官發財以遺後人。神明鑒臨，予不食言。』二爲效法前賢澄清天下。道光二十二年十月，給諸弟信中説：『君子之立志也，有民胞物與之量，有内聖外王之業，而後不忝于父母之生，不愧爲天地之完人。』黎庶昌所作的《年譜》中説：『公少時器宇卓犖，不隨流俗，既入詞垣，遂毅然有澄清天下之志。』

程朱之學是當時的顯學，也是當政者所竭力倡導的學説。讀程朱的書，聽程朱的話，按

程朱的思想辦事，是朝廷對它的官員以及一切巴望進入官場的讀書人的要求。曾氏拜極有聲望的理學大師又是朝中九卿之一的唐鑒爲師，一起求學的又有像倭仁這樣有名氣的高級官員（倭仁時爲詹事府詹事），這本身就是有很大影響的事情，加之曾氏是真誠的，而不是藉此作爲謀遷升的手段，他將修身的成果應用到爲人辦事的實踐中去：對同寅對朋友恭敬謙抑，對職守對差事勤勉端謹。曾氏因此獲得了很好的官聲，于是有了他的十年七遷的紅翰林經歷，年僅三十七歲便躋身二品大員。這在當時是罕見的事。他自己曾説過：中進士十年入閣者，全國範圍内包括他祇有三人，至于湖南則本朝無先例。程朱之學對他心性的修煉、仕宦的騰達所起的作用，是很明顯的。三十九歲時他正式出任禮部侍郎，然後在短短的三年之内，先後兼任過兵、工、刑、吏四個部的侍部，官運亨通。從道光二十年到咸豐二年，曾氏在京師做了十二年的太平京官。這十二年，不僅爲他日後辦大事準備了足够的位望資歷，也讓他的人格境界有了質的變化。這些，都不是當時其他杰出人物，如左宗棠、羅澤南、李鴻章等人所能比擬的。

咸豐二年，他在家守母喪期間，正值太平軍在兩湖地區燃起戰火之際，他接到命他擔任湖南省團練大臣的諭旨。曾氏向朝廷擬了一道懇請在家終制摺，請求讓他在家守完三年喪期，不出山辦事。這道奏摺後來雖被曾氏燒了，今天已不可能再看到其中的内容，但可以猜想得出，他一定是以母喪期間不宜辦公事爲理由，至于其他的原因，他不會也用不著在奏摺中提到。

那麽，其他的原因有哪些呢？據筆者猜測，大約會有以下幾點：

其一，本人不擅長軍務，也無心于此。

曾氏典型書生出身，體質與膽氣都屬薄弱型，對于親歷戎伍，他可能過去從未想過，且太平軍聲勢浩大，對于能否勝任此職，也絶對是毫無把握。

其二，湖南社會混亂，民心浮動。

湖南歷來貧窮落後，且民風强悍蠻横，近年來因時局動蕩，作奸犯科甚至暴動頻發。新寧縣的雷再浩在道光二十七年率衆起義，聲勢浩大。經江忠源平定後，又有李沅發繼起，直到道光三十年纔將李捉住，而巡撫馮德馨因剿撲不力遭逮捕遣戍。道光三十年九月，酃縣、安仁、茶陵又拿獲譚叙亨等二十多名企圖造反者。受拜上帝會影響，湖南民間會黨很多，也頗有勢力，是社會不安定的重要原因。曾氏在給朝廷的奏摺説：『湖南會匪之多，人所共知。』除天地會外，『又有所謂串子會，紅黑會，半邊錢會，一股香會，名目繁多，往往成群結黨，嘯聚山谷』。要想安定這樣的社會，是極其艱難的。

其三，湖南官場腐敗，辦事難。

近幾年，湖南巡撫一直是陸費瑔，此人與布政使萬貢珍，辰永沅靖道吕恩湛等人相互勾結，結成一夥貪污集團，民憤極大。朝廷對湖南的吏治也很痛恨，多次下旨痛加指責。眼下，這些人雖然都已不在湖南了，但他們所留下的貪污受賄的腐敗風氣未變。接替的馮德馨也跟

陸是一路貨色，原先的人事關係仍然是盤根錯節地存在。在這樣的官場中，要想辦成事情是很難的。

基于這些思考，曾氏開始時并未接旨。但不久，武昌失守，湖北巡撫常大淳殉職，新任巡撫張亮基專人來函告知這一情況，并請求曾氏出山。好友翰林郭嵩燾亦爲此事專程來湘鄉勸說他出來保衛桑梓。所有這些，便容不得曾氏不出山了。因爲若再不接旨，對于朝廷，對于家鄉的官場和父老鄉親都無法交代，這個時候他的一切理由都將不成理由，人們祇會視他爲自私、膽小的人。于是，曾氏焚燒已經擬好的辭命摺，咸豐二年十二月十七日由家鄉啓程，二十一日到長沙，正式做起團練大臣來。

曾氏是個很有責任心、很愛惜自己名望的人，且他的性格中本有剛强的一面（他曾多次引祖父的話『男兒以懦弱無剛爲耻』勉勵自己和諸弟，又說他和老九都像母親一樣要强）。面對著這樣一個局面，不辦事則已，要辦事便衹能按古訓：『亂世當用重典。』曾氏于是從程朱轉嚮申韓，開始他人生的第二大轉變。究其實這也是不得已的事。申韓之學的特點是：爲達目的，不計手段。其慣用的手段則是嚴刑峻法、嚴格管理、嚴厲處罰等等，用今天的話來說就是一切從嚴，不講情面。身爲欽差大臣及湘軍統領，曾氏來到地方後從嚴的辦事風格是全方位的。

首先是懲治匪亂安定地方一事，其實行的政策是從嚴的。在咸豐二年二月十二日《嚴辦

土匪以靖地方摺》中，曾氏很明確地向朝廷表明：『臣之愚見，欲純用重典以鋤强暴，但願良民有安生之日，即臣身得殘忍嚴酷之名亦不敢辭，但願通省無不破之案，即剿辦有棘手萬難之處亦不敢辭。』他甚至命令做幾十個站籠，將所抓的匪首關在其中，令他們一天到晚站在街頭示衆，不到幾天便活活地死在籠中。他還命令他的部下有就地正法之權，即若审明會匪身份屬實，則就地杖斃。

其次，他對駐守在長沙城裏緑營的要求也是從嚴的。他在咸豐三年六月十二日《特參長沙協副將清德摺》裏說：『臣等懲前毖後，今年以來，諄飭各營將弁認真操練，三、八則臣等親往校閱，餘日則將弁自行操閱。』這幾句話清楚地說明，曾氏是以朝廷下來的欽差身份，對長沙城内緑營實行嚴格管理的。

此外，他對地方文武官員的態度也是從嚴的。因爲地方文武的不合作，咸豐三年他參劾長沙協副將清德，咸豐五年六月，又參劾江西巡撫陳啓邁、按察使惲光宸。對于陳啓邁，曾氏自己說：『臣與陳啓邁同鄉、同年、同官翰林，嚮無嫌隙。』曾氏的不講情面，于此可見。

曾氏這樣做，招來的是社會恨他，駡他是曾剃頭，緑營恨他，永順協的兵士衝進曾氏的衙門，揚言要殺他。湖南與江西官場也討厭他。靖港之役失敗後，長沙各道城門緊閉，不讓湘軍進城。在江西，更是處處掣肘，官場上下都與他爲難。加之戰事不利，朝廷也對他不滿，曾氏終于陷入荆天棘地之中。他曾經悲哀地對別人說，他是一個『通國不容』的人。

咸豐七年二月，他在江西前綫接到父親病逝的訃告。此時正是軍事困難時期，他上了一道請求回籍奔喪的摺子，不等朝廷批復，便匆匆帶著弟弟國華離開軍營回家。身爲前綫軍事統帥，當此非常時期，不待朝廷批復，便擅自離開職守，曾氏此舉是有悖常理的。況且，鑒于軍情緊急，朝廷也有可能不同意他離開軍營。這種『奪情』之事過去是常有的。湘軍在江西打仗，不與江西巡撫等地方政府要員見見面就撒手而去，也不合情理。曾氏是個爲官多年的人，也是一個組織紀律性强的人，爲什麽這次如此反常？没有别的解釋，衹有一個原因，那就是他實在混不下去了，巴不得早一天扔掉這個爛攤子。父親去世這件事，似乎是上天在危難時期有意送給他一根救命稻草似的。于是便有了歐陽兆熊所説的『朝議頗不爲然』，左宗棠的『肆口詆毁』，湘贛官場的『嘩然和之』。曾國藩也知道自己這種做法不妥，對于外界的指摘，他不能辯解，衹能『内疚于心』，終于病倒了。

歐陽兆熊知道他的病不在身體上而是在精神上，所以托名醫曹鏡初説出那句名言，即岐黄可醫身病，黄老可醫心病。精神上的毛病，心靈上的毛病，得靠黄老之學即道家學説來醫治。

道家學説也是一個廣博深刻的學問。西漢初期，它曾是治理國家的指導思想。司馬遷甚至認爲道家在陰陽、儒、墨、名、法各家之上。他在《史記・太史公自序》中説，道家『因陰陽之大順，采儒墨之善，撮名法之要，與時遷移，應物變化，立俗施事，無所不宜，指約而易操，事少而功多』。

道家學説有兩個重要觀點，一是道法自然，一是柔弱勝剛强。曾氏辦團練辦軍務這些年來所行的法家手法，其主要之點一是强逼，二是嚴厲，這兩點行之過頭，帶來的結果必定是怨恨四起，衆叛親離。曾氏眼下的情形，就頗爲近似，必須予以糾正。道家的順其自然、以柔克剛，便恰恰是對症之藥，這就是『岐黄可醫心病』。

曾氏經此點撥，立刻醒悟過來。咸豐八年六月復出後，其爲人處世的作風有很大的改變。此一改變的要點便是以道家思想爲主旨。同治元年四月十一日日記中的一段話，很準確地記録他的這一段心路歷程：『静中細思，古今億萬年無有窮期，人生其間數十寒暑，僅須臾耳。大地數萬里不可紀極，人于其中寢處游息，晝僅一室耳，夜僅一榻耳。古人書籍、近人著述浩如烟海，人生目光之所能及者，不過九牛一毛耳。事變萬端，美名百途，人生才力之所能辦者，不過太倉之一粒耳。知天之長而吾所歷者短，則遇憂患横逆之來，當少忍以待其定；知地之大而吾所居者小，則遇榮利争奪之境，當退讓以守其雌；知書籍之多而吾所見者寡，則不敢以一得自喜，而當思擇善而約守之；知事變之多而吾所辦者少，則不敢以功名自矜，而當思舉賢而共圖之。』

這一年的二月十七日的另一段日記，將這一思想轉變也表示得很清晰：『因九弟有事求可、功求成之念，不免代天主張，與之言老莊自然之趣，囑其游心虚静之域。』

正因爲曾氏後期行事，以老莊思想爲主旨，故在同治三年南京收復、立天下第一功，面

臨朝廷嘉奬，四海恭維，九弟及吉字營將領對朝廷不滿甚至有造反想法的時候，曾氏却采取大功不居、功成身退的做法。我們看他給老九四十一歲的祝壽詩，最後的落脚點正是落在『退』字上：『低頭一拜屠羊説，萬事浮雲過太虚。』『已壽斯民復壽身，拂衣歸釣五湖春。』『與君同講長生訣，且學嬰兒中酒時。』

打下南京後的情形，對于曾氏和湘軍集團來説，表面風光無限，其實背後險象環生，曾氏在那時若居功自傲，甚或聽信妄言，起兵造反的話，史册上便將會多一個韓信或吴三桂式的人物，少一個文正公，對他的整個人生來説，便談不上真正的成功。

正如屈原的《卜居》中所説的『尺有所短，寸有所長』，各家學説，無論是主流學説還是非主流學説，無論是顯學還是非顯學，都各自有其立論的基礎，有其可取之處與不足之處。如儒家學説，以仁養心，以禮治國，以中庸爲原則，的確有其正大恒遠的一面，立其爲主流學説是很有道理的，但規矩太多，約束太多，對人的心靈有壓抑，辦起事來也顯得拘謹迂緩。法家以利爲驅使，以法治國，以嚴酷爲手段，成事快，收效速，但刻薄寡情，易傷人心，難于持久。道家以逍遥爲懷，以無爲治國，以順其自然爲方式，人的靈府的確是無拘無束，能與天地精神往來，但難于合衆人之力以成大事。所以，對于各家學説在通曉的基礎上，取其精華去其糟粕，依時順勢而用其長，則有可能于世有補，于事有益。

治軍方略

一、以戚家軍爲藉鑒，建立最有效的嶄新營制

晚清緑營没有戰鬥力，除開官兵腐敗外，最主要的原因還是在制度上。緑營的建制采取軍區制，軍區以鎮爲單位，全國設十一個軍區、六十六個鎮。朝廷的軍事設置分三大系統，即標兵、協兵、營兵。標兵爲作戰部隊，協兵爲防守要地的部隊，營兵爲守衛一城一邑的部隊。以湖南爲例。湖南屬湖廣軍區，軍區的最高首長爲總督。湖廣總督駐武昌，他直接掌管三個營，約一千四百人。湖南巡撫直接掌管兩個營約一千二百人。湖南還有湖廣水陸提督衙門，駐扎常德，直接掌管四個營約二千八百人。湖廣軍區有四個鎮，其中在湖南兩個鎮，即鎮筸鎮、永州鎮。鎮的最高長官稱爲總兵。鎮筸鎮駐鳳凰附近，直接掌管四個營約三千人，永州鎮駐永州府，直接掌管三個營，約一千八百人。總督、巡撫、提督、總兵直接掌管的兵員稱作標兵，係作戰部隊。湖南有作戰部隊八千八百人。

湖南還有五個協：即駐扎長沙府的長沙協掌管兩個營，一在長沙，一在湘潭，約一千人；駐扎辰州府的辰州協，掌管兩個營，約九百人；駐扎靖州的靖州協，約七百人；駐扎沅州的沅州協，約八百人；駐扎吉首城的永綏協，掌管兩個營，約一千六百人。這五個協共約五千人，稱爲協兵。它的任務是防守長沙、湘潭及湘西。另外，湖南還有綏寧營、長安左右營、晃州營、

保靖營、宜章營、臨武營、桂陽營共八個營，分別防守黃傘坪、長安、鎮彝哨、晃州、保靖、宜章、臨武、桂陽州，稱之爲營兵，共約四千人。按照正常情況，湖南省共有綠營兵約一萬八千人。全國兵力約六十萬，湖南的駐兵不算多。

這些兵平時分屬各個不同系統，遇到戰事，則此地調一部分，彼地調一部分，再任命一個將官統領，于是造成『將不知兵，兵不知將』的現象，打起仗來就出現『勝則争功，敗則不救』的局面。太平軍面對的就是這樣的對手，怪不得早期是攻城掠地，勢如破竹。曾國藩深知綠營弊病，所以他要『赤地新立』『另起爐灶』，以新的營制來組建一支新的軍隊，他所藉鑒的制度便是明朝戚繼光的戚家軍營制。湘軍的營制是：一營設若干個哨，哨下設隊。營設營官，哨設哨官，隊設什長。一個營設五哨：前、後、左、右再加上親兵哨。一個哨設八個隊，一個營約五百人。打仗時以營爲單位。爲了提高戰鬥力，曾國藩有意强化地緣、業緣、血緣關係，以此作爲紐帶，把一個隊、一個哨、一個營的人員緊緊地聯結在一起。當時，湘軍的情況通常是一個著名將軍領若干個營，這種將領稱爲統領。曾國藩負責選擇任命統領，統領再去選擇營官，營官選擇哨官，哨官選擇什長，什長選擇勇丁。層層負責，如同大腦指揮手臂，效率極高。湘軍之所以戰鬥力强，營制是其基礎。

二、最看重軍人的兩個品質：血性與樸實

鑒于當時國家正規軍隊八旗、綠營官兵的素質低劣，曾國藩在『別樹一幟』即組建新的軍隊湘軍時，特別注重軍人的素質。爲此，他制定了不少關于將官和普通勇丁的選擇標準。譬如他對將官的要求有四點：第一要才堪治民，第二要不怕死，第三要不急于名利，第四要耐受辛苦。有時，他還會加上幾條，如知人善任、善覘敵情、臨陣有膽識、營務整齊等等。對普通勇丁的挑選，他也有要求，如不收綠營的逃兵、散兵，不收城市裏的油滑之徒。其中，他最看重的軍人品質有兩點，一爲血性，一爲樸實。他說：『有忠義血性，則四者相從以俱至。』四者，即剛纔所說的才堪治民、不怕死、不急于名利、不怕苦。曾氏認爲，一個帶兵的將官，若具有忠義血性的話，則這四個方面都可具備。所以，血性是基礎，最爲重要。什麽是血性？用曾氏的話來說，即『攘利不先，赴義恐後，忠憤耿耿』，翻譯成現代語言，意即把好處讓給別人，將死亡留給自己，對事業對信仰忠心耿耿。用更通俗的話來說，就是有獻身精神。這是軍人最寶貴的品質。當時，具有獻身精神的舊將官非常稀少，于是曾氏提出：用書生出任將官，因爲剛走出書齋的書生多血性。

軍人的另一寶貴品質是樸實。他說：『觀人之道，以樸實廉介爲質。有其質而更傳以他長，斯爲可貴；無其質，則長處亦不足恃。』這話說的是，識人的辦法，以樸實廉潔耿介爲本質。有這個本質，再加上其他長處，這就可貴；若沒有這個本質，則長處也不足以依恃。可見，在曾氏看來，樸實也是軍人的基礎。有了樸實，纔可以去談別的；若不樸實，則用不著去談別的。曾氏挑選勇丁，不選逃兵散兵，不選城市油滑人，就是因爲這些人不樸實。他選勇丁，

選農村人，尤其是選山冲裏人，選三代務農人家的人，看重的就是這些人的樸實。血性與樸實，是曾氏最看重的軍人兩大品質。相對來説，對將官更偏重血性之氣，對勇丁則更偏重樸實之質。正因爲如此，當時的湘軍，其最突出的特點便是書生爲將、農夫爲兵。

三、培植扎硬寨、打死仗的作風

湖南人嚮來有霸蠻、不怕死的强悍性格，曾氏將這種湖湘性格移進軍營中，由此打造出一支最能打仗的軍隊，同時也將這種性格的優勢發揮到極致，成爲最具湖南人特點的品牌。

曾氏嚮湘軍提出兩個要求，一是扎硬寨，二是打死仗。所謂扎硬寨，就是扎下敵人攻不破的營壘。湘軍駐扎的營地，規定要有三道壕溝，即前壕、中壕、後壕三道大溝，用以阻止敵人的進攻或偷襲。三壕尤以中壕最爲重要，壕寬七八丈，深一丈，壕底插滿竹簽。人固然是無法逾越，連馬也過不了。一旦掉進壕中，不被湘軍殺死，也會被竹簽戳死。曾氏對營官們説，挖壕溝一事很要緊，不能偷懶，不能敷衍，不能僥幸，即便衹住一夜，也要這樣挖三道溝。

所謂打死仗，就是抱著死的决心上戰場。一個人連死都不怕，自然勇氣倍增。古人説，兩軍相遇，勇者勝。不怕死的人，往往難得死，怕死的人在戰場上往往容易死。一硬一死，打造了湘軍的死硬作風。這種作風不僅成就了湘軍的戰功，也變成了湖南的精神代表。陳獨秀就這樣説過：『湖南人底精神是什麽？幾十年前的曾國藩、羅澤南等一般人，是何等扎硬寨打死仗的書生！』

四、營造收斂、憂危、勤奮的軍營氣氛

曾氏經常説：軍事以氣爲主。軍事之氣即軍營之氣，指的是軍隊中的氛圍、氣象、表現等等，也就是人們常説的軍人的精神狀態。曾氏認爲，一支軍隊的戰鬥力如何，首先取决于它的精神狀態。那麽，曾氏在湘軍内部營造的是什麽樣的精神狀態呢？

曾氏最看重的軍氣，一是收斂。軍隊的收斂，指的是軍營人員精幹、制度嚴密、作風嚴謹、調動得力。他認爲『氣斂局緊』纔是軍營的最好氣象。與之相反的是人馬衆多却散漫，排場闊綽而無鬥志。這樣的軍隊看起來嚇人，實際上是紙老虎。氣斂局緊的隊伍則可以一當十，以少勝多。

曾氏常説：『兵者，陰事也。』這句話的意思是：打仗這種事，屬于恐怖陰森的事情，因爲它跟死亡連在一起。仗打敗了，其慘狀固然不用説，即便打勝了，面對著戰場上遍地斷頭穿胸、折腿失手、血肉模糊的尸體，悲哀尚來不及，有什麽值得高興的呢？所以，軍營之中不能有過于歡樂過于安逸過于喜悦的氣象，要時常保持一種憂慮感、危機意識和警覺心態。他多次舉歷史上一個有名的故事教育部屬。戰國時，齊國名將田單曾用火牛陣打破燕國，收復齊國七十二城。後來率兵打狄國，却打了三個月都打不下。田單爲此請教名士魯仲連。魯仲連説，我早就知道您不能獲勝。田單問何故。魯仲連説，當初在即墨時，將軍有死之心，士卒無生之氣，于是全軍團結一致，故能破燕。而現在，將軍腰横黄金帶，尋歡作樂于臨淄澠池之間，

您有生之樂，士卒則無死之心，所以軍心渙散，故不能攻下狄國。故而曾國藩説得很堅定：『兵事之宜慘戚，不宜歡欣。』老子説：『抗兵相加，哀者勝矣。』這話即人們所熟知的哀兵必勝。其道理也在這裏。這種憂危之氣，也是曾氏最看重的軍營氣象。

除收斂、憂危外，曾氏著重營造的是軍營的勤奮之氣。曾氏一生勤奮。他治家教人，總不離開一個『勤』字。他説：『家勤則興，人勤則健。能勤能儉，永不貧賤。』治軍也一樣，他對朝廷説：『臣素性愚拙，本無長駕遠馭之才，力所能勉者，惟思勤懇以收得尺得寸之功。』勤者勤奮，懇者忠懇。他認爲自己是個笨拙的人，衹有靠勤奮和忠誠纔能擔當起大任。勤能救拙，這的確是至理名言。湘軍是臨時拉起的編外之師，將官多爲書生，勇丁則全是農夫，相對于打仗來説，都可謂愚拙，唯有靠勤奮纔能彌補這支軍隊的先天不足。除勤奮操練軍事外，湘軍還勤奮于文化學習。這種現象在中國歷代軍隊中，是從來没有過的。湘軍建軍之初，每個月的逢三逢八，曾氏便親自給軍營勇丁上課。他上的不是軍事課，而是講忠義，講血性，講軍紀軍風，講軍營制度，有時講得動情處，他甚至聲淚俱下。從這個角度來看，他有點像近現代軍隊中的政委角色。湘軍中的高級將領胡林翼、羅澤南、王鑫等人在他們所統領的軍營中也極爲注重這一點。胡林翼的軍隊駐扎一地，則請當地有名的塾師給勇丁講《論語》《孟子》，他自己帶頭坐在下面聽講。羅澤南則是親自登臺講宋明理學。至于王鑫則更是對此要求嚴格。他的官勇，晚上一律不許外出，在營房裏讀《孝經》，讀《四書》，以至于形成刁

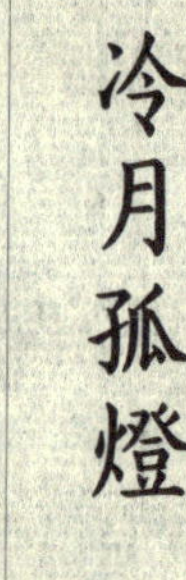

斗聲與誦書聲相混雜的奇特軍營現象。時人評議湘軍這種重視文化教育的軍營氣象，説是有『父兄期望之意，師徒督課之風』。著名外交家、學者蔣廷黻因此説湘軍是一支有文化的軍隊，有主義的軍隊。

五、最爲重要的治軍思想：軍民一家

軍隊騷擾民間，欺負百姓，這幾乎是過去時代所有軍隊的通病，故而凡有見識想有所作爲的帶兵統帥，都會對其部屬在這方面加以約束，也會常常講愛民護民的道理。曾國藩也是深知這一點的。他反反復復地告誡部屬要愛民。他編軍歌，開頭便説：『三軍個個仔細聽，行軍先要愛百姓。』他訓責部下：『吾輩帶兵，若不從「愛民」二字上用功，則造孽大矣。千萬懍懍！』他的著名的八本中就有『行軍以不擾民爲本』（其他七條爲：讀書以訓詁爲本，作詩文以聲調爲本，事親以得歡心爲本，養生以戒惱怒爲本，立身以不妄語爲本，居家以不晏起爲本，作官以不要錢爲本）。若説『愛民』還衹是曾氏對傳統的繼承的話，那麼『軍民一家』觀點的提出，則是曾氏對中國軍事史的一大創新，一大貢獻。曾氏在咸豐八年所作的《愛民歌》中，列舉不少軍隊在愛民這方面所要做的具體事：如不取百姓家的門板，不拆百姓的房屋，不踩壞百姓的田禾，不拿百姓的鷄鴨鍋碗，不要强拉百姓做事，築墻不要攔路，砍樹不能砍墳上的樹，挑水不要挑魚塘水，不許訛詐別人的錢財，不許調戲婦女，等等。最後，曾氏説：『軍士與民如一家，千記不可欺負他。』在這裏，曾氏已經將現在人們所熟知的『軍民一家』，

用準確的文字表達出來了。應該説，這是曾氏治理湘軍的最重要的思想，至于湘軍中的各個軍營對這一思想重視得怎樣，貫徹得如何，則又是另一回事了。

不是漢奸賣國賊

在一段相當長的時期裏，曾國藩被戴上漢奸賣國賊劊子手的帽子，爲時論所唾弃。曾國藩以一在籍侍郎的身份，創建湘軍，統率數十余萬兵勇，在湖南、湖北、江西、安徽、江蘇等省，與太平軍决戰十二年之久，殺人自然很多。他甚至對俘虜也不寬容，實施剜目凌遲的殘酷手段，并告誡其弟『不以殺人多爲悔』。説曾國藩是殘殺農民起義軍的劊子手，并不過分。但稱曾國藩是漢奸賣國賊，筆者不敢苟同，試爲辨之。

一

何謂漢奸？何謂賣國賊？所謂漢奸，其本來意義是指以出賣漢族利益來爲异族服務的人。中國從來就是一個以漢族爲主體的多民族國家，因而確切地説，一般所謂『漢奸』是指投降外族或外國侵略者，甘心受其驅使，出賣中華民族利益的叛徒。事實上，出賣中華民族的利益，也就是出賣國家的利益。在這一意義上，漢奸即爲賣國賊。因此，所謂『漢奸』，簡而言之，含義有二：一是指出賣漢族利益的人，二是指出賣中華民族利益、出賣國家利益的人。在第二個意義上，『漢奸』與『賣國賊』同義。人們罵曾國藩是漢奸賣國賊，也是從這兩個含義出發而言的。其主要依據有兩點：一是指曾國藩爲滿人效命而鎮壓漢人起義；二是指曾國藩處理天津教案，爲外國人賣力，而没有站在中國的立場上。

用筆[illegible]的文字表達出來，[illegible]是曾氏治理湘軍的最重要的思想，至于湘軍中的各級軍官對這一思想更是視得[illegible]，真誠信仰[illegible]又是[illegible]一個軍了

不是漢奸賣國賊

在一段相當長的時期裏，曾國藩被戴上漢奸賣國賊的帽子，為時論所唾棄。曾國藩以一在籍侍郎的身份，創建湘軍，統率數十萬兵勇，在湖南、湖北、江西、安徽、江蘇等省，與太平軍廝殺十二年之久，殺人自然很多。他甚至對俘虜也不寬容，曾國荃對日夜屠殺的殘酷手段，并告誡其弟「不以殺人多為悔」。說曾國藩是鎮壓農民起義革命的劊子手，并不過分。但說曾國藩是漢奸賣國賊，筆者不敢苟同，試為辯之。

一

何謂漢奸？何謂賣國賊？所謂漢奸，其本來意義是指以出賣漢族利益來為外族服務的人。中國從來就是一個以漢族為主體的多民族國家，因而確切地說，所謂「漢奸」是指投降外族或外國侵略者，并甘心受其驅使，出賣中華民族利益的敗類。事實上，出賣中華民族的利益，也就是出賣國家的利益。在這一意義上，漢奸即為賣國賊。因此，所謂「漢奸」，簡而言之，含義有二：一是指出賣漢族利益的人，二是指出賣中華民族利益、出賣國家利益的人。在第二個意義上，「漢奸」與「賣國賊」同義。人們說曾國藩是漢奸賣國賊，也是從這兩個含義出發而言的。其主要依據有兩點：一是指責曾國藩為滿人效命而鎮壓漢人起義；二是指責曾國藩處理天津教案，為外國人賣力，而沒有站在中國的立場上。

先來看看第一點。

滿族人當皇帝的清王朝，在嘉慶之後逐漸走下坡路，政治腐敗，經濟衰疲，國勢孱弱，進入衰朽末世。特別是鴉片戰爭之後，清王朝的落後、反動更加暴露無遺。現實教育人們：必須徹底推翻這個腐朽的政權。同時，世界發展的趨勢，也使先進的中國人認識到，衹有完全結束封建君主專制制度，建立民主共和國，中國纔有前途。一個旨在推翻以滿洲權貴爲首的清王朝的革命運動，就在以資産階級革命派爲代表的全中國人民中醞釀、形成。但是，早期資産階級革命派中的大部分人，反滿的思想中包含著濃厚的狹隘民族主義。他們完全不承認從唐代起就列入中國版圖的滿族是中華民族大家庭中的一員，把滿洲權貴統治中國的二百六十餘年，看成是中國的淪陷。在聞名中外影響巨大的《革命軍》一文的末尾，鄒容號召全國人民，與『世仇滿洲人』血戰，并高呼『皇漢人種革命獨立萬歲』。落款日期爲『皇漢民族亡國後之二百六十年』。另一著名資産階級革命家劉道一認爲『亂中國者滿人，亡中國者非滿人也，漢人也。蓋漢奸者，滿人之媒介也』。因此，他提出『驅滿酋必先殺漢奸』的口號。而凡是爲清王朝出謀獻策、奔走效力的人都屬漢奸之列，故『殺漢奸必殺康有爲、梁啓超』，『殺漢奸必殺張之洞』，自然，『反噬祖族，掣東南半壁奉之滿洲』的曾國藩，更是罪大惡極、死有餘辜的大漢奸。

這些資産階級革命者企圖利用千百年來漢族人民的民族意識來推翻清王朝的用意，是我

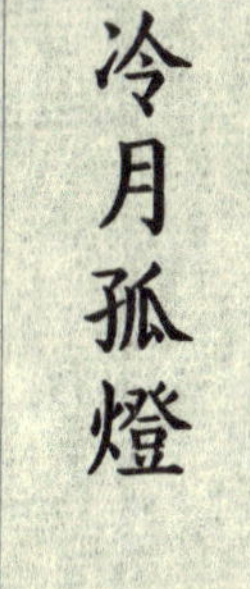

們能够理解的；事實上，這種漢民族意識對辛亥革命的成功也起了很大的積極作用。但我們并不能就因此而肯定那種把滿族排除在中華民族大家庭之外的觀點是正確的，也不能就因此而肯定那種把滿族少數貴族和廣大滿族人民混爲一談的觀點是正確的。他們狹隘的民族意識不是我們今天所要贊許的思想，而是我們應當批判的錯誤觀念。用狹隘的民族意識作反滿的宣傳，祇能説明早期資産階級革命者的幼稚、片面、偏激，它在短期内雖然可以起到某些作用，但終歸不會得到中華民族絶大多數同胞的贊同。所以，基于狹隘民族主義的觀念，把曾國藩看作漢奸賣國賊，顯然是不對的。如果説替滿人出力，鎮壓漢人起義的人是漢奸賣國賊的話，那麽清代所有漢族大大小小的官員都是漢奸賣國賊，不顧重病在身、受命即赴任，最終死在鎮壓農民起義途中的林則徐更是漢奸賣國賊。這無疑是人們所不能接受的。

曾國藩鎮壓太平天國，就如同歷史上岳飛鎮壓楊么起義、盧象昇鎮壓李自成起義一樣，衹能從他們既得利益集團的立場上去找原因，從他們忠君敬上的倫理道德觀上去找原因。曾國藩的立場及其道德觀決定了他衹能成爲農民起義的對立面，決不可能是農民起義的擁護者。被歷史學界所公認的愛國將領左宗棠，在鎮壓太平天國的凶殘堅決方面，是一點也不比曾國藩遜色的。既忠君愛國，又鎮壓農民起義，在封建社會的官吏們看來，不僅不矛盾，而且應該如此，它本身就是一件事情的兩個方面。因此，説曾國藩鎮壓農民起義是劊子手則可，説曾國藩鎮壓農民起義是漢奸賣國賊則不可。

先來看看第一點。

滿族人當皇帝的清王朝，在嘉慶之後逐漸走下坡路，政治腐敗，經濟衰退，國勢衰弱，進入衰朽末世。特別是鴉片戰爭之後，清王朝的落後、反動更加暴露無遺。這教育人們必須推翻這個腐朽的政權。同時，世界發展的趨勢，也使先進的中國人認識到，僅有完結束封建君主專制制度，建立民主共和國。中國歷史上首次出現了一個旨在推翻以滿洲貴族為首的王朝的革命運動，就在以資產階級革命派為代表的全中國人民中醞釀、形成。但是，早期資產階級革命派中的大部分人，反滿的思想中包含著濃厚的狹隘民族主義。他們完全不承認[illegible]代起就加入中國的滿族是中華民族大家庭中的一員，把滿洲貴族統治中國的二百六十餘年，看成是中國的亡國。在國內外影響巨大的《革命軍》一文的末尾，鄒容號召全國人民與世仇滿洲人一血戰，並高呼「皇漢人種革命獨立萬歲」，落款時間為「皇漢民族亡國後之二百六十年」。另一名資產階級革命家還寫過「亂中國者滿人也，漢人也，害漢人者，滿人之幾個也」。因此，他提出「驅滿清，必先殺漢奸」的口號，而凡是為清王朝出謀劃策、效力的人都屬漢奸之列，故「殺漢奸必殺康有為、梁啟超」，「殺漢奸必在殺滿人之前」。自然，「反滿」狂熱者，對「東南半壁之滿洲」的曾國藩，更是罪大惡極，死有餘辜的大漢奸。

這些資產階級革命家在全國利用千百年來漢族人民的民族意識來推翻清王朝的用意，是

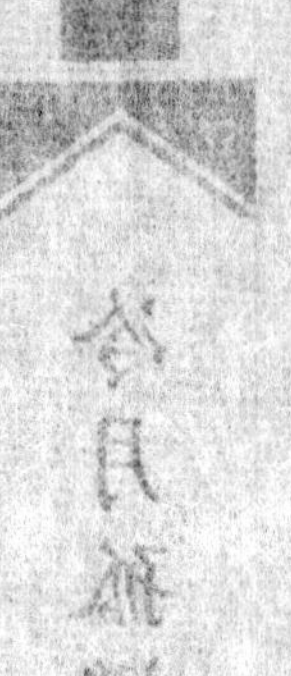

我們能夠理解的。事實上，這種漢民族意識對辛亥革命的成功也起了很大的積極作用。但並不能因此而肯定那種把滿族排斥在中華民族大家庭之外的觀點是正確的，也不能因此而肯定那種把滿族少數貴族和廣大滿族人民混為一談的觀點是正確的。他們所說的民族意識不是我們今天所要讚許的思想，而是我們應當批判的封建觀念。用狹隘的民族意識作為反清宣傳，只能說明早期資產階級革命派的幼稚、片面、偏激。它在當時可以起到某些作用，但終歸不會得到中華民族絕大多數人的贊同。所以，基於狹隘民族主義的觀念，把曾國藩看作漢奸賣國賊，顯然是不對的。如果說為滿人出力，鎮壓漢人起義的人是漢奸賣國賊的話，那麼清代所有漢族大大小小的官員都是漢奸賣國賊，不顧重病在身，受命出任，最終死在鎮壓農民起義途中的林則徐更是漢奸賣國賊。這是人們所不能接受的。

曾國藩鎮壓太平天國，就如同宋史上岳飛鎮壓楊么起義，孫傳庭鎮壓李自成起義一樣，都應站在他們既得利益集團的立場上去找原因，從他們忠君衛上的倫理道德觀念上去找原因。曾國藩的立場及其道德觀決定了他必然站在農民起義的對立面，決不可能是農民起義的擁護者。像在史學界所公認的愛國將領左宗棠，在鎮壓太平天國的凶殘方面，是一點也不比曾國藩遜色的。既忠君愛國，又鎮壓農民起義，在封建社會的官吏們看來，不僅不矛盾，而且應如此，它本身就是一件事情的兩個方面。因此，說曾國藩鎮壓農民起義是劊子手則可，說曾國藩鎮壓農民起義是漢奸賣國賊則不可。

曾國藩被稱爲漢奸賣國賊的另一條主要罪狀，是對天津教案的處理。下面，我們再來談談這件事。

從十九世紀四十年代開始，清政府允許外國傳教士在中國自由傳教、建教堂。很快，中國土地上到處建造了外國教堂，城鄉各地都可以看到外國傳教士和皈依洋教的中國教民。

這個新起的事物，一開始便和中國社會産生了不可調和的矛盾，西方教義和中國傳統的文化心理大异其趣。統治集團中無論頑固守舊派、洋務派都對之討厭，咸稱爲『邪教』。如頑固守舊派首領醇郡王奕譞，公然鼓勵鄉紳民衆焚教堂、擄洋貨、殺洋商、沉洋船；洋務派頭頭李鴻章也説從各省毁堂阻教事件中，可見民心可恃，邪教不能惑衆。地方官與教會也多齟齬。如貴州巡撫何冠英、提督田興恕曾向全省官員發出公函，號召驅逐外來傳教之人。老百姓更是對那些淩虐鄉里、欺壓平民的不良教民怨怒至極。

這樣，隨著傳教的擴展，反教會的案件也在全國不斷發生。比較大的教案有：江西南昌教案，湖南湘潭、衡陽教案，貴州遵義教案，四川酆都、彭水、酉陽、大足教案，臺灣臺南教案，福建延平教案，安徽蕪湖教案，江蘇丹陽、金匱、無錫、陽湖、江陰、如皋等地的教案，熱河東部朝陽、平泉、赤峰教案。影響最大的則是曾國藩等人辦理的天津教案。

當時，遍布中國各地的教案，從總體來説，無疑是近代史上，中國人民反對外國侵略者瓜分滅亡中國的正義鬥爭中的一個組成部分。但各地教案的發生，有其不同的複雜原因，對這些教案要作具體分析：有的出于義憤，有的則是地方官吏紳士在暗中操縱，有意把事態擴大，有的則純出于仇教的心理。因此，不能毫無分析地籠統把一切教案都稱之爲愛國行動。

同治九年入夏以來，天津亢旱异常，人心不定，民間謡言甚多，傳説有人用藥迷拐幼孩，又義冢内小孩尸體有暴露出來的，而暴露之尸係教堂所丢弃，并有教堂挖眼剖心之説。五月二十日，有人捉拿用藥迷拐幼孩的罪犯武蘭珍至官府，審訊時牽涉到已入法國教會的教民王三，于是民情洶洶。二十三日，法國領事豐大業、傳教士謝福音面見武蘭珍，但武不能指出王三其人，且所供與教堂實際不合。教堂外面，圍觀津民與教堂之人發生口角，毆打，此時豐大業持槍進入三口通商衙門，并在衙門内放槍。教堂外已聚民衆數千人。豐大業憤而外出，路遇天津知縣劉杰，豐向劉開槍未中，而傷到劉之僕人。于是百姓憤怒至極，遂將豐大業打死。這時，群情激憤，扯毁法國國旗，打死法國人九名、俄國人三名、比利時人兩名、美國英國人各一名，另有無名尸十具，毁壞法國公館一處、仁慈堂一處、洋行一處、英國講書堂四處、美國講書堂兩處，造成了震驚中外的天津教案。天津教案打死了外國領事、撕毁外國國旗、打死外國人及教民二十多人，這些都是從前歷次教案中所没有的。法國爲此提出强烈抗議，并有調集兵船的威脅，英俄意比等國亦紛紛抗議。事態嚴重，清廷焦慮，急速派遣正在保定養病的直隸總督曾國藩前往天津處理此案。

在派遣曾國藩處理津案的命令中，以慈禧爲首的清朝廷强調：『匪徒迷拐人口，挖眼剖心，

實屬罪無可逭。既據供稱牽連教堂之人，如查有實據，自應與洋人指證明確，將匪犯按律懲辦，以除地方之害。至百姓聚衆將該領事毆死，并焚毀教堂，拆毀仁慈堂等處，此風亦不可長。著將爲首滋事之人，查拿懲辦，俾昭公允。地方官如有辦理未協之處，亦應一并查明，毋稍回護。』

在曾國藩未到天津之前，負責處理津案的三口通商大臣崇厚向朝廷報告了此事情的起因是『愚民無知，莠民趁勢爲亂』。朝廷在接到崇厚報告後再次令曾國藩前赴天津，并嚴令他查明案情，緝拿凶手，彈壓滋事人員。五月三十日，朝廷在看到奕訢『宣布中外』『以安人心』的報告後，諭内閣嚴懲『影射教民，作奸犯科』的『匪徒』。接著又據崇厚所請，將天津道府縣官員周家勛、張光藻、劉杰先行交部，分別議處。隨後，派崇厚爲出使法國欽差大臣，向法國説明真相，賠禮道歉。

這樣，在曾國藩未到天津之前，以慈禧爲首的清中央政府已爲處理津案定下基調，畫出框框。簡單地説，即如下幾條：一、如教堂有人迷拐人口，挖眼剖心，則按律懲辦；二、嚴懲爲首滋事人員；三、處理辦事不力的地方官；四、保護教民；五、向法國政府認錯。

清中央政府處理津案的基調，出于它在外國侵略者面前一貫軟弱屈服的路綫。在津案發生前一年的四川、貴州教案尚未了，法國公使羅淑亞乘坐兵船，耀武揚威地巡視江蘇、安徽、江西、湖北等地，威脅當地官員處理積壓案件。清廷對此十分害怕。餘波未息，津案又起，自然如驚弓之鳥，竭力壓抑本國百姓而討好外國。

很明顯，這時不管處理津案的任務交給誰，他都衹能在政府劃定的框框裏辦事，是不敢也不能另出一套點子，以破壞所謂『中外相安』的大局的。歷史就這樣決定了曾國藩在處理天津教案中，必然成爲清廷軟弱屈服路綫的執行者。

曾國藩接到命令後，一面著手瞭解案情經過，一面力疾啓程。六月初十日到達天津。曾國藩認爲津案的真正起因，乃是由于津民對法國教堂的殘忍行爲的仇恨，豐大業開槍傷人衹不過是導火綫而已。因此，必須首先弄清傳聞中法國教堂迷拐小孩、挖眼剖心之類的罪行是否確實。他向朝廷彙報了這個想法：『武蘭珍果否爲王三所使，王三果否爲教堂所養，挖眼剖心之説，是否憑空謡傳，抑係確有證據。此兩者爲案中最要之關鍵，審虚則洋人理直，審實則洋人理曲。』在得到朝廷認可之後，曾國藩通過審訊調查，結合過去湖南、江西、江蘇、安徽等省也出現過『挖眼剖心』等類似傳聞而最終并無確證的事實，再加上自己的分析，確認挖眼剖心、殺孩壞尸、采生配藥等，『以理決之，必無是事』。此時，在曾國藩的心目中，已覺得津民理曲而洋人理直。這是曾國藩處理天津教案的立足點。他希望朝廷將此『布告天下，咸使聞知，一以雪洋人之冤，一以解士民之惑』。同時堅決表示：『其行凶首要各犯及乘機搶奪之徒，自當捕拿嚴懲，以儆將來。在中國戕官斃命，尚當按名擬抵，況傷害外國多命，幾開邊釁，刁風尤不可長。』

但此案使曾國藩很感棘手。因爲當時是群衆性的暴動，拿犯雖多，而確證不易獲得，難以定罪。曾國藩根據確鑿證據，認爲可以正法者七八人，清廷認爲殺七八人少了。在朝廷『不

得稍涉寬縱』和『迅速了結』『愈早愈妙』的方針指導及法國公使羅淑亞的要挾下，曾國藩不得不變通辦理，有的證據不足也匆匆定案。經過三個月，在崇厚、丁日昌、毛旭熙、李鴻章等人配合下，天津教案最後以地方官員充軍黑龍江，殺津民十六人，軍徒二十五人，賠償法俄等損失撫恤費五十萬兩白銀了結。

在曾國藩辦理津案期間，以醇郡王奕譞、內閣學士宋晉、翰林院侍講學士袁保恒、內閣中書李如松爲代表的朝臣向朝廷上奏，以楊峴、倉植爲代表的曾氏僚屬友朋向曾氏上書，他們一致認爲津案乃義舉，洋人是犬羊，不能喻之以理，應對他們采取强硬態度，有的甚至主張即使不能乘此機會殺盡在京洋人，燒盡其房屋，也要與法國絶交，『略示薄懲』。

對于這些清議，曾國藩一律視之爲謬論，他不爲『浮言所摇』。于是，清議譏責，士民憤恨，漢奸賣國賊的呼聲由此而起。

今天，天津教案已過去一百餘年了，當我們以歷史眼光重審這一事件時，應該可以比當年的清議派更爲客觀些。因天津教案而加在曾國藩頭上的漢奸賣國賊的帽子，無論從津案的本身來看，還是從津案處理的大計來看，都是不恰當的。

天津教案由無稽的傳聞而引起，并因此『把群衆的行動引入歧途』。此案中打死二十多名外國人和教民，而多數又是與本案毫不相關的無辜受害者，且津民中又確實混入了少數歹徒，他們趁亂殺洋人而越洋貨，從而使事件變得很複雜。我們可以冷静地想想，這樣的群衆運動，究竟對處理『挖眼剖心』能起什麽作用？外國教堂（包括法國教堂在内）確實在中國幹了很多壞事，理應受到中國人民的嚴正制裁，但由『挖眼剖心』而釀成如此巨案，却正好給外國教會攻擊中國人民提供了口實，從而堂皇地爲自己的罪行做辯護。關于毁堂殺洋一事，曾國藩的兒子曾紀澤後來曾當面對慈禧做過理智的分析：『辦洋務難處，在外國人不講理，中國人不明事勢。中國臣民當恨洋人，這不消説了，但需徐圖自强，乃能有濟，斷非毁一教堂殺一洋人，便算報仇雪恨。』當然，曾紀澤的話無疑有爲其父表白的成分，但這番話畢竟還是説到點子上了。筆者認爲，天津教案是一批有著愛國情緒的民衆，在不瞭解真相的情況下，所采取的一樁盲目行動，動機雖好，效果不佳。它的愚昧性超過進步性，破壞性大于積極性。天津教案從總體上不能説是一個愛國的反帝行動。

既然事件的直接起因在于誤會，而外國人的確在衝突中損失很大，其間又有壞人渾水摸魚，那麽，曾國藩奉命處理此案所采取的幾項主要措施，即官員革職、凶手正法、賠償損失等，從原則上説，就并非是漢奸賣國賊的行爲。據天津教案的處理來判定曾國藩是漢奸賣國賊，也不恰當。在津案處理的後期，爲防意外，曾國藩在京津一帶布置重兵。如果真的要當漢奸去賣國，他大可不必如此。這樣説，并非要抹掉曾國藩在處理津案中所要承擔的責任。天津教案的處理，既然是整個清廷軟弱屈服的外交路綫的産物，它本身也必然是軟弱屈服的。曾國藩本人在津案處理中的表現，雖不能説是漢奸賣國賊，但他在整個事件處理過程中，所扮演的却是一個

不光彩的角色。

一、清廷所定下的處理津案的軟弱屈服的基調，曾國藩是出自內心擁護的，與清中央政府決策者的態度一樣，他也是一心以壓抑本國來討好外國，『保全和局』。在懲辦凶手時，他甚至要奕訢去問法國人，中國應當殺多少人？『如數辦到後，和局便可定否』？他所殺的十六名津民中，自知有的證據不足，也在『不得不變通辦理』的幌子下將他們判決了。

二、因爲怕得罪法國，激起兵端，對于津案導火綫——豐大業開槍傷人一事，明明曲在洋人，作爲中國政府的代表，曾國藩不敢義正辭嚴地向法國指出，向全世界昭布，反而一再强調教堂蒙受了不白之冤。

三、王三、安三、王三紀、劉金玉的供詞都牽涉到教堂，在在可疑，本應窮追不捨，但曾國藩怕羅淑亞又興波助瀾，結果『渾含出之』，不加追究。

四、教民王三，因迷拐一事被獲，讞詞未定，羅淑亞堅決要求釋放，屈于壓力，曾國藩亦暫時釋放。

以上四條，如果曾國藩態度强硬，據理力爭，中國方面在處理津案中完全可以在政治、經濟上少一些損失。至于被處決的津民中的愛國者冤魂，則更是千秋萬載之後都不會瞑目。因害怕引起戰爭而在洋人面前如此委曲求全，不管曾國藩事後多次懺悔的『外慚清議，內疚神明』是如何地發自內心，一百餘年來，他還是不斷地受到世人的譴責。

二

以上，我們從爲清王朝出力鎮壓漢人起義及對天津教案的處理兩個方面，分析了曾國藩漢奸賣國賊的罪名不能成立。下面，我們再來剖析曾國藩一生的政治思想，看他是不是漢奸賣國賊。

道光十八年，曾國藩中進士入翰林院。一直到咸豐二年，這段時期，也雖説受到朝廷的特別重視，遷升極快，但畢竟没有進入政府決策者的行列。對待外國人，他所持的是儒家傳統的『華夷之别』『尊王攘夷』的觀點。他在家書中多次談到鴉片戰爭時期，英國侵略者在中國沿海一帶的騷擾及清政府的處置。在談到這些時事時，曾國藩明白地表示了他的對外態度。這種態度一是擔憂，既擔心國家領土會被外人侵占，也對戰事和賠款所費憂心忡忡。二是痛恨，既痛恨英國强盜的暴行，又痛恨政府軍隊的腐敗，更痛恨勾結英國，出賣祖國利益的漢奸，出于對英國侵略者的民族義憤，他對政府在對外戰爭中的獲勝特别高興。姚瑩率兵沉重打擊英國侵略者，生擒一百三十三名，斬首三十二名，他感到『大快人心』。三元里人民抗英，他很支持，并由此看到『官畏鬼而民不甚畏鬼』的事實。金竺虔將到福建爲官，他作詩鼓勵：『海隅氛正惡，看汝斫長鯨。』希望金竺虔與侵略者作戰，守衛海疆。

作爲清政府一名高級官員，一個時時思念如何報答朝廷『格外之恩』『非常之榮』的臣子，曾國藩又是政府軟弱屈服外交路綫的支持者。他爲政府辯護：『不得不權爲和戎之策』的目的

是『安民而息兵』。這種『權爲和戎之策』是建立在『將不知兵，兵不用命』的殘酷現實基礎上，『實出于不得已』。如果能用『去銀二千一百萬兩，又各處讓他碼頭五處』的高昂代價換來『夷人從此永不犯邊，四海晏然安堵』，雖然是『以大事小』，也仍然是『上策』。

如上所述，曾國藩痛恨夷狄，痛罵漢奸，擔憂國事，不管是出自盲目自大也罷，出于民族大義也罷，哪怕是出于保護自己的烏紗帽也罷，總之，其思想基礎決不是賣國的。但是，也可以看出，早期曾國藩的對外思想中，已有一種對洋人的自卑畏懼心理。這種軟弱的心理，貫串著曾國藩一生的對外交往，尤以天津教案的處理表現得最爲充分。不過，軟弱畢竟不是賣國，『和戎』也決非就是漢奸。這在咸豐二年之後，曾國藩漸漸成爲國家舉足輕重的人物、直接影響政府内外政策的年代，更能清楚地看出。

曾國藩以自己的實力地位和識見，從兩個方面影響當時朝廷的決策，即一爲防夷，一爲自強。

咸豐十年十一月，俄國法國向清政府提出派兵船配合清軍，共同鎮壓太平天國。咸豐帝就此事要曾國藩發表自己的看法。曾國藩認爲當時長江兩岸千餘里水路，有湘軍水師控制，太平軍在水上不是湘軍的對手，用不著外國出兵船幫助。他特別提醒咸豐帝：『自古外夷之助中國，成功之後，每多意外要求。』因此建議：『獎其效順之忱，緩其會師之期。』實際上要朝廷婉言謝絶。因爲咸豐帝亦不太贊成『借師助剿』，俄法此次計劃告吹。

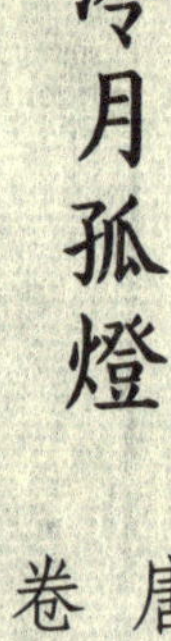

同治元年正月，慈禧就江蘇士紳請借洋兵一事詢問曾國藩。曾國藩認爲借洋兵以助守上海，共保華洋人之財則可，『借洋兵以助剿蘇州，代復中國疆土則不可』。三月，江浙紳士再次向朝廷請洋兵『規復蘇常各屬城池』。慈禧以爲『該紳士等情殷桑梓，或非無見』，表示可以考慮接受這個請求。同時，她也想聽聽曾國藩對此事的看法。曾國藩回奏，再次堅持自己的一貫主張：『助守上海則可，動剿蘇常則不可。』并援引唐代回紇協助郭、李收復西京的故事，申明因目前無得力軍隊與洋人共同作戰，擔心客兵優于主兵，今後難以挾制。鑒于慈禧『借師助剿』的既定方針，曾國藩不能過分違背，衹得建議采取『不干求，亦不禁阻』的策略。

同治元年六月，朝廷明知『借兵助剿之議，迭經曾國藩等先後復奏，僉稱有害無利』，但鑒于曾氏當時以一身係天下安危的地位，仍然就崇厚提出的調印度兵助剿一事徵求他的意見。這次曾國藩不但明確表示不贊成，并且希望朝廷『申大義以謝之』：『中國之寇盜，其初本中國之赤子。中國之精兵，自足平中國之小醜……中華之難，中國當之。在皇上有自強之道，不因艱虞而求助于海邦；在臣等有當盡之職，豈輕借兵而貽譏于後世。』

從曾國藩就『借師助剿』四次向朝廷的獻策來看，他對外國人出兵協助攻打太平軍之事，并不是有些人所説的比他的滿洲主子更爲踴躍，相反地，曾氏對此事一貫是不熱心的。這種不熱心，既有出自對國家利益的考慮，擔心洋人有『意外要求』；同時，也有出自對湘軍集團利益的考慮。他要讓湘軍獨占鎮壓太平天國的全功，不使外人分潤。因此，當同治二年四月，

英國侵略軍頭領士迪佛立特意趕到裕溪口見曾國藩，要求建一支一萬餘人的洋槍隊，用英國人做頭目，包打天京及江浙各城時，曾國藩十分冷淡。他藉『須函商總理衙門定奪』爲辭推托過去，實際上是拒絶了，此後也不再提起這事。

洋人『助剿』太平天國，畢竟是因爲曾氏自己兵力不敷，且在他看來，此舉乃是爲挽救大清帝國于滅亡之中，因此可以勉强接受；而阿思本艦隊一事，明顯地侵犯了中國主權，則遭到了他的斷然拒絶。

同治二年元月，正在英國養病的清海關正税務司李泰國，擅自與英海軍上校阿思本簽訂爲期四年的合同。合同規定清政府委托他代買的七艘兵船所組成的艦隊，由阿思本完全指揮，衹服從李泰國傳達的中國皇帝行得通的命令，别人不得干涉。這實際上是英國通過李泰國、阿思本來控制中國的海軍大權。清政府開頭拒絶，後在阿思本的要挾下，企圖向阿思本妥協，同意由阿思本獨領艦隊。曾國藩知道後，堅決反對這個妥協。他給奕訢寫信，嚴辭譴責總理衙門的出爾反爾，説中國水師『將引爲大耻』。最後堅決表示：寧願白白扔掉二百萬白銀的購船費用，也不要由英國人控制的艦隊。最後，由于曾國藩的强硬態度，使得清廷不再向阿思本妥協，維護了中國的海軍主權。

在時時提防外國人企圖强占中國領土、侵犯中國主權這方面，曾國藩是清醒的；『防夷』這根弦在他的頭腦裏是绷得緊緊的。他在與外國人的交道中，并没有什麽漢奸賣國的行爲。

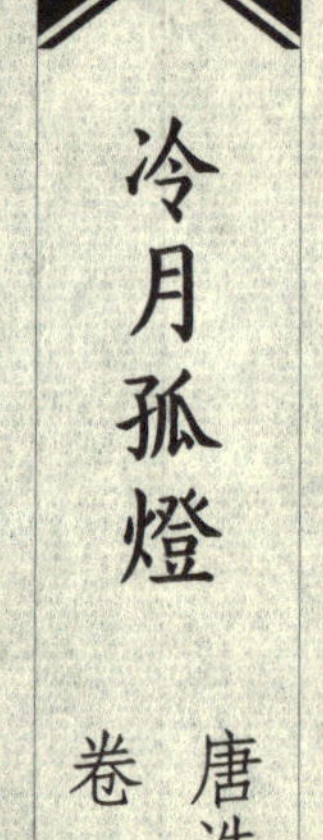

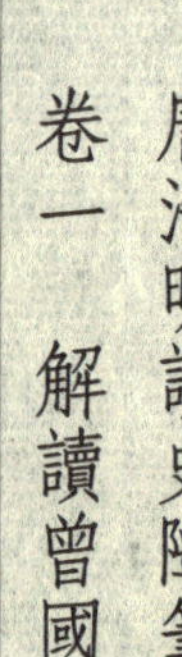

在防夷的同時，曾國藩比清朝當時一般廷臣疆吏的眼光顯得更爲遠大，爲『大清帝國』的籌謀顯得更爲深長，這突出表現在咸豐十年十一月初八日給朝廷的奏摺中。他一方面表示可以審慎地答應美商、俄商海運糧食的要求，另一方面指出，『目前資夷力以助剿濟運』衹是『得紓一時之憂』，而長遠的方針應是『師夷智以造炮製船』，則『可期永遠之利』。

第一次鴉片戰争剛結束，有感于中國的被欺侮，魏源憤而著《海國圖志》，提出『師夷長技以制夷』的主張，喊出近代中國向西方學習的第一聲響亮的口號，石破天驚，振聾發聵。但可惜魏源的政治地位實在太低了，人微言輕，他的這個主張既不能打動政府決策者的心，自己又無力付之實踐。曾國藩『師夷智以造炮製船』的思想，無疑是受魏源的啓迪，并由于自己的親臨軍事前綫而體會更深。由于曾國藩在政界的地位，更由于此時咸豐帝正蒙受著英法聯軍占領北京、自己倉皇逃避熱河的奇耻大辱，一經曾國藩提出『師夷制夷』的主張，便立即得到了最高統治階層的贊同。二十多天後，奕訢、桂良、文祥聯合提出包括設總理各國事務衙門、南北通商大臣及收集外國新聞等六條章程。再過八天，奕訢向咸豐帝提出購買、製造洋槍洋炮，并雇法國匠人傳授製造技術的建議。又過三天，咸豐帝發出了清代向西方學習先進技術的第一道命令，并『著曾國藩、薛焕酌量辦理』。從此，爲中國跟上時代步伐、邁進世界潮流，并爲中國近代化奠定基礎的洋務運動開始了。曾國藩是這場運動的發起者之一。他辦洋務，目的是明確的：一剿髮逆，二勤遠略。剿髮逆，即鎮壓太平天國，是當務之急；

勤遠略，即使中國『徐圖自强』，則是長遠之策。所以，在太平天國被鎮壓之後，曾國藩仍以極大的精力興辦洋務。

同治四年，受曾國藩委托在美國購買機器的容閎，在上海創辦了中國第一所機器製造局。

同治七年，曾國藩親至上海，駐鐵廠檢查洋炮輪船工程。曾國藩對南京、上海的機器局、鐵廠、船廠的工作很滿意，稱贊這些工廠『爲中國自强之本』。同年，上海船廠第一號大輪船駛至南京，曾國藩親自命名爲『恬吉』，并登船試行至采石磯。他由此而聯想到『中國自强之道或基于此』。同治九年七月，曾國藩鑒于閩滬兩船廠建立之時，向朝廷建議慎擇船主，出洋操練，以『捍禦外侮，徐圖自强』，勉勵内外臣工『卧薪嘗膽』。九月，因『沿海防務，亟宜籌備，閩滬兩處鐵廠成船漸多，而未嘗議及海上操兵事宜』，他又向朝廷推薦吴大廷，『請將吴大廷調至江南，綜理輪船操練事宜』，將『于整頓海防，實有裨益』。這月十六日，又奏調陳蘭彬來江南主持輪船操練事宜，并提出派遣幼童出國學習，『精通其法，仿效其意，使西人擅長之事，中國皆能究知，然後可以徐圖自强』。同治十年七月，又會同李鴻章再次奏請遣派幼童出國留學，并擬定留學章程。這年十一月，曾國藩再次到上海巡視鐵廠、輪船局、機器局，爲江南鐵廠新造的四輪船分別命名爲『恬吉』『威靖』『操江』『測海』，將原『恬吉』改名爲『惠吉』。

同治十一年正月，曾國藩致函總理衙門，認爲輪船局不宜停止，逝世前三天，曾國藩還在綜理江南輪船操練事宜。

爲使『大清帝國』自强，曾國藩可謂『鞠躬盡瘁，死而後已』。至于『大清帝國』能不能因此而自强，這條路走不走得通，那是另外一個問題，但曾國藩希望它自强，并爲它的自强而努力不息，總不能説，他的這些想法和實踐是賣國的吧！

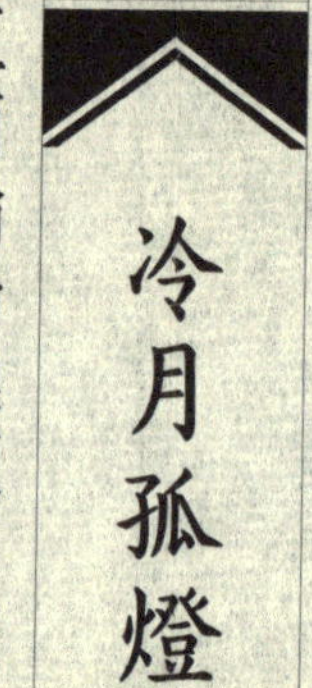

三

曾國藩的政治思想是複雜的，但複雜的思想中有一根主幹，把握住這根主幹，就能比較清楚地看出他的全部政治思想。

曾國藩出生于湖南一個偏僻的山鄉，他家世代以耕讀爲生，政治地位低下，經濟狀況也并不好，用曾國藩自己的話來説，即『出身寒素』。他二十八歲中進士，十年七遷，三十七歲便成爲二品大員。如此年紀，便躋身卿貳，是清代湖南的空前絶後之人。由荆楚下士，迅速成爲内閣大員，對朝廷的恩德，曾國藩自然感戴萬分，報恩盡忠之念，銘心刻骨；而程朱之學的束縛，又使他的這種思想更加穩固。

在與太平天國作戰的年代，他被任命爲兩江總督，并節制四省軍務，是清朝立國來最受信任的漢員。攻下南京以後，兄弟同日封爵，真所謂『殊恩异數，萃于一門』。以後又拜大學士，成爲朝廷宴會時漢員大臣的領班。所有這些，把曾國藩與『大清帝國』的命運緊密聯繫在一起，是『大清帝國』給了他的權力地位、榮華富貴，他要爲『大清帝國』的長治久安竭盡全力、

奮鬥終生。這就是曾國藩政治思想的主幹，他的一生活動都受其支配。

曾國藩鎮壓農民起義，是爲了保衛清政府，使這個政權不被農民推翻。外國人願意幫助他鎮壓農民起義，他原則上不反對，但對其用心時刻提防。他看到當時國勢衰弱，因而力辦洋務，企圖利用西方先進科學技術使中國自强。他在外國侵略者的堅船利炮面前膽怯軟弱，認爲中國决不是他們的對手，一旦開戰，衹有失敗。因而在處理天津教案時，委曲求全，爲保和局而不惜受辱。他認爲這樣做是爲國家全局著想，是『拚却聲名，以顧大局』。

把住『忠君』這根主幹，我們可以清晰地看出，曾國藩是『大清帝國』才幹卓著、富有遠見的忠臣，他想的做的都是對國家、對愛新覺羅王朝的忠誠孝敬。正因爲此，在曾國藩死後，以皇帝名義頒賜的祭文稱贊他『忠誠體國，節勁凌霜』。愛國將領左宗棠也在挽聯中表示『謀國之忠』『自愧不如』。

總之，筆者認爲，對于曾國藩，可以説他是一個鎮壓農民起義的劊子手，一個腐朽的封建王朝的鐵杆維護者，甚至也可以説他是一個在外國强權面前的怯弱者，但他不是漢奸賣國賊。

家教家風

人的成長不能離開教育。教育主要包括社會教育和家庭教育兩個方面。在現代，雖然教育更多地由社會來承擔，但家庭教育仍然有著不可替代的作用。中華民族是一個重視教育的民族。在漫長的封建時代，建立在親親文化基礎上的儒家學説一直占據著主導地位，故而家庭教育也便在教育中得到很高的重視。以《顔氏家訓》《治家格言》爲代表的家庭教材，歷朝歷代，在許多家庭中都以不同的形式出現過，它們在傳承文化、培養人才、造就中華民族的民族精神民族品格等方面發揮重大的作用。比如大家所熟知一些格言：『莫以惡小而爲之，莫以善小而不爲』『非淡泊無以明志，非寧静無以致遠』等，便是出于劉備、諸葛亮對子侄輩的家教中。在近代，有一個人物在這方面所作出的貢獻，尤爲受到後世的廣泛贊譽，此人便是曾國藩。

一、優秀的家長

對于曾國藩，大家可能并不陌生，他是中國近代歷史上的一個著名人物。他有著傳奇性的人生：他是一個地地道道的農家子弟，没有任何的依傍與靠山，靠著自己的努力，走進最高權力圈。他是一個純粹的書生，却白手起家組建了一支軍隊，仗著這支軍隊平定内亂，改寫歷史，也讓自己封侯拜相，實現封建時代男兒的最高理想。此人持身嚴謹：身爲軍事統帥，却自奉如同窮書生；手握生殺大權，却謙退自抑；一生供職官場，却平實樸誠。此人思維獨

特：三十多歲一切順利時，他卻提出要求闕不求全。輝煌榮耀無人可及之時，他卻主張人生的最好境界是花未全開月未圓。此人見識卓越：在面對著國家因貧弱受欺侮、舉國上下苦無對策的時候，他力主學習洋人造炮製船的科學技術。他的建議終于化爲國策，由此揭開洋務運動的序幕，爲中國走出封閉、徐圖自强指出一條光明之路。他因而贏得人們對他的尊重，尤其是近代中國的政治家們更是對他敬仰有加。蔣介石以他爲偶像；毛澤東説：『余于近人，獨服曾文正。』

除開大政治家、大學者外，曾國藩還有一個當之無愧的頭銜，即優秀家長。

之所以把曾氏稱之爲優秀的家長，主要有兩個方面的原因。一是他編寫了一部極好的家庭教育的教科書。曾氏的一生，給他的家人寫了一千多封家書。他的家書內容豐富，涉及面廣闊。尤其可貴的是，他在給子弟的大量書信中，結合自己艱難探索而得來的切身體驗，耐心細緻地向他們傳遞中華民族的優秀文化。

因爲此，近世中國有識之家，莫不把曾氏的家書奉爲治家的規範。蔣介石給兒子寫信，常常會説，我近來很忙，沒有時間寫字，《曾文正公家書》中的第幾封，即我此刻要對你説的話。毛澤東故居至今仍保存著封面上寫有『潤之珍藏』的四册綫裝本曾氏家書。這兩個例子極具代表性地説明曾氏家書在近世中國人心目中的地位和影響。

二是他的家庭教育的效果特别顯著。他的四個弟弟（分别比他小九歲、十一歲、十三歲、十七歲）、兩個兒子，都是在他的教育下成長的。四個弟弟中後來有三個走上前綫，帶兵打仗，成爲他事業上的得力助手，尤其是打下南京的九弟貢獻最大。他的大兒子曾紀澤是近代著名的愛國外交家，在沙俄虎口中奪回四百平方里的土地，是近代中國在談判桌上爲國家爭得利益的唯一外交官員。他的小兒子曾紀鴻是一個數學家，致力于圓周率的研究，曾把圓周率推算到小數點後的一百位，屬于那個時代世界領先的地位。他的家族後代人才輩出。他的直系後人，有第三代的著名詩人曾廣鈞、外交家曾廣銓、實業家外孫聶雲台，第四代的著名教育家曾寶蓀、曾約農、做過臺灣高級官員的外孫俞大維。他的弟弟的後人中有第四代的著名化學家曾昭掄、著名考古學家曾昭燏，第五代的著名革命家曾憲植、著名畫家曾厚熙。有人做過統計：曾氏家族從他的父親以下到科舉制度廢除七十餘年間，共出秀才、舉人、進士、翰林二十多個。實行新式教育制度後，他的子孫大都大學畢業，留學外國。古人説『君子之澤五世而斬』，曾氏家族卻五世不斬。這種家族福澤長久綿延的奇迹令人敬仰。

曾氏家族爲何能創造出這樣的奇迹呢？有人可能會説這是基因。一代兩代，或許是基因的影響，三代四代後，基因基本上不會起作用。這種奇迹的創造，應該歸之于家風。什麽是家風？家風就是一個家庭中的文化氛圍。這種文化氛圍是可以代代傳遞下去的。曾氏家族的家風是曾國藩開創的。我們來看看他所培植的家風有哪些主要內容。

二、家風八個字

（一）孝友

曾氏在家書中說過這樣的話：『吾細思天下官宦之家，多祗一代享用便盡，其子孫始而驕佚，繼而流蕩，終而溝壑，能慶延一二代者鮮矣。商賈之家，勤儉者能延三四代；耕讀之家，能延五六代；孝友之家，則可以綿延十代八代。』

這段話的意思是說，他曾經仔細思考過，天下做官的人家，榮華富貴大多祗維持一代，官家子弟剛開始是驕奢淫逸，接下來是行爲放蕩，最後死無葬身之地，能再綿延一兩代的很少。做生意的人家，勤勞儉樸者，則財富能綿延三四代。既種田又讀書的人家，好的景况可以綿延五六代。若是孝友之家，則良好的家風，可以綿延十代八代。

什麽是孝友？孝，是對長輩的態度：恭敬順從。友，是對平輩的態度：善意仁愛。孝友是以血緣爲基礎的儒家文化的核心，它體現的是中華民族對生命本源的敬畏。曾氏說，一家人若以孝友態度相處，則家庭的興旺可持續到十代八代。

從曾氏這段話裏可以看出，在他的心目中，無形的良好家風要勝過有形的權勢財富；辛辛苦苦挣來的家業要勝過從官場商場中得來的富貴。若往深裏想，我們要問，孝友的家風，從理論上說，是可以存在于各種形式的家庭中，官宦之家、商賈之家，也可以造就此種風氣，那爲什麽，官家商家的富貴不能長久保持呢？原來，權力與財富是最容易腐蝕人的兩樣東西。在對權錢的追求過程中，最容易淡化、淡漠乃至變味的便是親情。在富貴中長大的人，很難感受到父母家人的可貴。俗話說『寒門出孝子』『患難見真情』，這些話道出了人類社會的常態。身爲大官的曾氏，所以要處心積慮，時時刻刻談家風，其原因就在這裏。他在一封給守家的四弟的信中說：現在我給老弟談艱難等話題，老弟能够有同感。這是因爲你也曾經有過艱難的歲月，但是如果跟子侄輩談這個話題，他們會聽不進，因爲他們從小就生活在富裕之中，祗做過大，沒有做過小。曾氏這段話說得很準確。對于『富二代』『官二代』所進行的教育之所以難，其深處的根子就在這裏：沒有經過艱難。

（二）勤儉

曾氏家書中出現得最多的兩個字，即勤與儉。

他說：『身勤則强，家勤則興，國勤則治，軍勤則勝。』又說：『勤則興，懶則敗。』『千古之聖賢豪杰……不外一勤字。』還說：『天下古今之庸人，皆以惰字毀。』還說：『歷覽有國有家之興，皆由克勤克儉所致，其衰也則反是。』

他給家裏定下規矩：『吾家子侄，人人須以勤儉二字自勉。』

他甚至規定：吾家男子，要勤于看（瀏覽翻閱）、讀（認真仔細閱讀）、寫、作四字，即勤于讀書寫文章。吾家女子，要勤于做家務，做女紅，做小菜等等。他爲兩個媳婦一個未出嫁的女兒定一個指標：每個月寄點小菜到軍營給他吃，還要求她們每個月做一雙鞋。

二　家風八個字

（一）孝友

曾氏在本家書中說過：「吾細思天下官宦之家，多只一代享用便盡，其子孫始而驕佚，繼而流蕩，終而溝壑，能慶延一二代者鮮矣。商賈之家，勤儉者能延三四代；耕讀之家，謹樸者能延五六代；孝友之家，則可以綿延十代八代。」

這段話的意思是說：他曾經仔細思考過，天下做官的人家，大多數只享受富貴一代，官家子弟開始是驕奢淫逸，接下來是行為放蕩，最後[illegible]，能再延續一兩代的很少。做生意的人家，勤勞節儉者，則財富能延續三四代；既種田又讀書的人家，好的家風可以延五六代；若是孝友之家，則[illegible]可以綿延十代八代。

什麼是孝友？孝，是對長輩的孝敬順從；友，是對平輩的友愛。孝友是以血緣為基礎的儒家人倫的核心，它體現的是中華民族生命本源的倫理。曾氏說一家人若以孝友[illegible]，則[illegible]的興旺可持續十代八代。

從曾氏這段話可以看出，在他的心目中，[illegible]有形的財富[illegible]辛苦掙來的家業要比通過官商途徑得來的富貴[illegible]從理論上說，是可以存在[illegible]的，官宦之家、商賈之家，也可以[illegible]官宦商賈的富貴不能長久保持，原因是權力與財富是容易消散的東西。

在[illegible]中，最容易淡化、淡漠乃至喪失的就是親情[illegible]父母家人的可貴。[illegible]身處大官的曾氏，所以要[illegible]家風，其原因就在這裏。他在一封給[illegible]的信中說：[illegible]

[illegible]祇做過大，沒有做過小。曾氏[illegible]「一富二代」「官三代」所進行的[illegible]之所以說，其[illegible]沒有經過艱難[illegible]

（二）勤儉

曾氏家書中出現得最多的兩個字，即勤與儉。

他說：「一身勤則強，家勤則興，國勤則治，軍勤則勝。」又說：「勤則興，懶則敗。」「千古之聖賢豪傑……不外一勤字。」又說：「天下古今之庸人，皆以惰字致敗。」[illegible]實有關吾家之興衰。若由克勤克儉所致，其[illegible]則反是。」

他給家裏定下規矩：「吾家子侄，人人須以勤儉二字自勉。」他甚至規定：吾家男子，要勤于看（[illegible]）、讀（[illegible]）、寫、作四字，即勤于讀書寫文章。吾家女子，要勤於做家務、做女紅、做小菜等事。他為兩個媳婦、一個出嫁的女兒定一個標準，每個月[illegible]

作爲一個農家子弟，作爲生活在物産維艱的農業社會的一個團隊領袖，曾氏深知，勤勞是一切財富、成就獲得的根本手段，也是最穩妥可行的正途。他要將自己的這個體驗不厭其煩、切切實實地傳遞給他的家人和子孫後代。至于儉樸，人們容易想到的是節省節約，原因是物産少，現在物産豐富，用不著節儉了。物産少固然是重要的原因，但不是唯一的，還有其他原因。首先是對資源的珍惜。浪費將導致資源的過度揮霍。英國物理學家霍金這樣説過：地球進化史持續五十億年，而人類文明從開始到現在頂多二十萬年，可是這二十萬年已將五十億年積攢的資源消耗一半。也就是説再過二十萬年，如果没有找到别的可供居住的星球，人類就要滅亡。再則奢華對生命無意義。古人説：巢林不過一枝，飲河止于滿腹。儉樸的生活方式其實是智慧的選擇。我們看，歷史上那些窮奢極欲者，没有幾個長壽的，如中國歷代帝王，活過八十歲的，衹有幾個人，近代如一妻九妾的袁世凱，有『譚厨子』之稱的譚延闓，都没有活過六十歲，而生活儉樸者往往高壽。還有更重要的一個原因，那就是節儉可以培育人的珍惜之心。人應該對一切美好的東西，如宇宙資源、勞動成果、時間、生命、情誼等等，懷有珍惜之心，而儉樸意識則與珍惜之心相通。

（三）讀書

古往今來，讀書應是接受教育的最爲主要的途徑。無論是做人的道理，還是謀生的手段，無論是過往的歷史，還是身外的世界，最爲便捷的獲得，衹有讀書。捨讀書之外，似乎找不到更好的方式。由讀書而改變命運的曾國藩，自然比别人更懂得這個道理，因此他也更加重視子弟的讀書。

自從他做官之後，他的四個弟弟的學雜費都由他提供，他先後接過三個弟弟進京讀書。每次家信，都是長篇大論不厭其煩地與四個弟弟談讀書，談治學，談爲人。諸弟做的詩文，大多隨信寄到京師，由他改定後再寄回來。他常説，父親就是這樣教他讀書的，他有責任指導諸弟讀書。

對于讀書求學，曾氏還有高人一籌的認識，即認爲讀書可以改變氣質。人們通常把氣質視爲與生俱來的本性，難以改變。其實，一個人的氣質本來就是先天與後天的共同産物；即便是本性，也是可以改變的。改變的關鍵在于學習修煉。讀書是學習中的一個重要環節。咸豐十一年年底，曾氏得到一架洋人造的望遠鏡。他發現能看到很遠之外物體的望遠鏡，其實就是用幾塊打磨而成的鏡片組合而成的。他想到洋人造的輪船槍炮，也無非是將銅鐵、樹木琢磨成器而已。于是，他明白了一個大道理。他將這番感悟寫在當天的日記中：『因思天下凡物加倍磨治，皆能變換本質，别生精彩，何況人之于學？但能日新又新，百倍其功，一何患不變化氣質，超凡人聖？』

曾氏認爲，人之讀書求學，每日自新，就好比物體之受磨礪陶鑄，既然磨礪陶鑄可以使物體的本性得到改變，那麼人經過日新又新的讀書求學，天生的氣質也可望得到改變。

同治元年，他在給兒子紀澤的信中説：『人之氣質，由于天生，本難改變，惟讀書可變化氣質。古之精相法者，并言讀書可以改變有形的骨相。』讀書甚至可以改變有形的骨相，這是古之精于相法者説的。曾氏寫出這句話，至少表示他認爲可以聊備一説。對于紀澤稟氣太清的毛病，曾氏一方面對兒子指出：『清則易柔，惟志趣高堅，則可變柔爲剛；清者易刻，惟襟懷淡遠，則可化刻爲厚。』從而一再要求兒子讀李、杜、韓、白、蘇、黄、陸、元八大家的詩，這些人的詩可『開拓心胸，擴充氣魄』。又關照兒子要讀陶淵明的五古、杜甫的五律、陸游的七絶，因爲這些詩可使襟懷淡遠。他甚至説『人生具此高淡胸襟，雖南面王不以易其樂也』。這句話的意思是，人生若具備這種高遠淡泊的胸襟，就可以很快樂。這種快樂，即使是做皇帝、做國王也不可取代。

曾氏説過，人生辦事，全仗胸襟。一個人若具有開闊的心胸，淡遠的襟懷，則既可以享受富貴，又可以安于貧賤，既可以創大業，也可以樂于做小事。他的人生一定會是快樂的。我們看到現代社會有不少有錢人，他們中的很多人并不快樂。我們也看到有不少有權的人，他們中的很多人也并不快樂。可見，錢和權不是快樂的最重要的因素。對于一個做事業的人來説，快樂不快樂，與胸襟有很大的關係。

（四）睦鄰

一個家庭不是孤單地存在于社會上的，它與社會打交道最多最經常最直接的莫過于鄰里。

與鄰居和睦不和睦，的確是居家過日子的一件重要事情。

曾氏的祖父很重視和睦鄰里，常説『人待人無價寶』。這六個字説的是，人與人之間友好相處的這種情誼，是無比珍貴的寶貝。幕僚李申夫之母有兩句老話：『有錢有酒款遠親，火燒盗搶喊四鄰。』意思是説富貴人家，平日忽視鄰里，祇看重遠方來的親戚，但遇到火災搶劫這些突發事件，所能趕來幫忙的還祇有四鄰八舍。曾氏稱贊這位四川老太太有見識。他常援引這兩句話來警誡在家的子弟們。

針對世上不少富貴人家在與人打交道時，祇重錢物而輕情感的現象，曾氏告誡兒子，對于鄰里之間的慶賀吊唁等事，不能祇打發下人送錢送物而已，要親自上門，這樣方顯得誠懇。

我們知道，曾氏家族可不是一般的家庭。四個兄弟長年在外領兵打仗，掌握著生殺予奪之權。到了同治三年南京打下後，被國人目爲『天下第一家』。一個這等家族，能如此善待鄰里，多麼不容易！

孝友、勤儉、讀書、睦鄰，這是曾氏家風中的四個突出内容。曾氏家庭教育裏還有一個極爲重要的内容，那就是教育孩子。

三、教子四要求

曾氏的長子紀澤三十歲時步入仕途，做過朝廷派駐英法公使、太常寺少卿、使俄大臣、兵部侍郎、總署大臣等。次子紀鴻終生未仕，潛心數學研究。兩兄弟均性情純良，

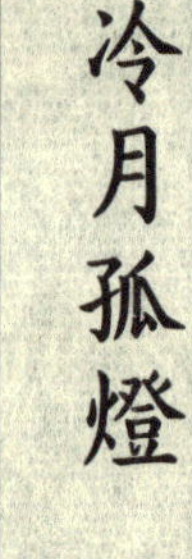

品行端方，從未有過紈絝子弟的惡行惡習。于此可見曾氏教子有方。我們來看看，曾氏究竟是如何教子的，他對兒子的期待在哪些方面。

（一）做讀書明理之君子

咸豐六年，已爲湘軍統帥的曾國藩認認真真地給年僅九歲的次子紀鴻寫了一封信。信中説：『凡人多望子孫爲大官，余不願爲大官，但願爲讀書明理之君子。』那麽，什麽是君子呢？曾氏接著説：『勤儉自持，習勞習苦，可以處樂，可以處約。此君子也。』意謂勤勞儉樸，能依靠自己的力量生存，不怕勞苦，可以過好日子，也能過苦日子，這就是君子。君子是具有好品性的人，與財富、地位、權力無關。

這就是説，曾氏不期望子孫做大官，做出人頭地者，他衹希望子孫能通過讀書明理這個途徑做品性良好的人。

我們中國父母都有望子成龍的習慣，就是希望子女長大後做大事、做大官、做大老闆、做大名人。當然，能够做到這種地步也是好事，但這種人畢竟少。爲什麽少？因爲不容易做到。做到這一步，除開自己的努力外，還得要有許多因素的配合。曾氏對這點看得很透。他常説，成大事者半由人力半由天命。什麽是天命？天命就是那些不由我們自己掌控的因素。正因爲有一半的因素我們不能自我掌控，所以，我們不能把所有的希望都押在這點上。我們要做實實在在的可以通過努力實現的事，那就是做一個讀書懂道理的好人。對兒女的這個期待，既不會增加兒女的壓力，也不會給做父母的帶來很大的失落感。

（二）與學業相比，心靈的活潑與身體的健康更爲重要

曾氏看重讀書，看重學業，但他深知讀書治學是一種艱苦繁重的腦力勞動，極容易使心靈遭受堵壓，身體遭受戕害。所以，曾氏在指導兒子求學的時候，總是强調一定要以輕鬆的心情讀書，從讀書中求得快樂。他對兒子説，『要養得胸次博大活潑』，『胸中不宜太苦，須活潑潑地，養得一段生機』。

因此，曾氏不主張讀書太刻苦，不要死記呆背，實在背不出就算了。要多散步，多親近大自然，看花，看竹，看山水。要注重養生，身心都要放鬆。要堅持飯後散步，臨睡洗脚。他甚至在發自軍營的家書中爲兒子畫出散步的路綫。沿著這條路綫走，既鍛煉了身體，又看望了長輩，兩全其美。

顯然，在曾氏的心目中，兒子們的心靈活潑、身體健康比學業優异更爲重要。現在的學生壓力太大，全中國的家長都怕自家的孩子輸在起跑綫上，于是讓孩子在幼稚園時代就開始超負荷地填補知識，學習技藝，使孩子失去了無憂無慮的童年少年。當然，要改變這種現狀不容易，因爲這是一個全社會的工程。但是，我們的家長一定得心中有數，在儘可能的範圍内，減輕孩子們的學業負擔。

（三）世家子弟要有寒士風

同治元年，他給次子寫信説：『凡世家子弟衣食起居無一不與寒士相同，庶可成大器，若沾染富貴氣息，則難望有成。』後來，他又一再囑托在家的四弟管好子侄輩：『吾家現雖鼎盛，不可忘寒士家風味。』

由貧賤轉爲富貴的曾氏，對富貴消蝕子弟靈魂之普遍現象看得最爲清晰。他深恐家族的富貴將會貽害于他的子孫，故而反復强調子侄們要珍惜幸福，要勤儉樸素，他希望家族要有寒士風味。

所謂寒，有兩個方面的内容：

一是指寒素，即在社會等級這個層面，與普通平民無异，打掉子侄輩的依恃之心、特權優越感。他叫兒子參加省城鄉試時，不可遞條子，通關節。家屬由湖南去安慶，坐的是湘軍戰船，他叮囑因爲他不在，不可張掛帥字旗，沿途不要拜客，不要接受宴請。兒子們在家不得擺少爺架子，不得高聲呵斥僕人。

二是指貧寒，即在經濟上與普通平民無异。他吩咐家中不可買田，子女們穿衣不能太光鮮，媳婦女兒們都得親自下厨做菜。不要坐轎，尤不可坐四抬轎，要多走路。兒子們要自己動手掃地，抹桌子，甚至鋤草、拾糞這類事也可做，不是丢臉的事。嫁女則硬性規定，嫁妝不能超過二百兩銀子。

富貴家庭爲什麽多紈絝子弟？這是因爲這種子弟有恃無恐。他們所依恃的無非就是兩個：

一權勢，二財富。打掉這兩個依恃，他們就不敢亂來了。

（四）不留財産給兒子

早在道光二十九年，在京師做禮部侍郎的曾國藩就在給諸弟的信中説：決不留銀錢與後人。咸豐五年給諸弟信裏説：『仕宦之家，不蓄積銀錢，使子弟自覺一無可恃。』咸豐十年四月初四，他在日記中特意記下左宗棠的話：『凡人貴從吃苦中來。又言收積銀錢貨物，固無益于子孫，即收積書籍字畫，亦未必不爲子孫之累。』曾氏稱贊左宗棠這些話是『見道之言』。這種見道之言，林則徐説得更有趣：子孫若如我，留錢幹什麽？子孫不如我，留錢幹什麽？

這種不留錢財的觀點，所見之道在哪裏呢？

原來，人的本性，是喜榮厭枯、好逸惡勞的。人上進的第一推動力，多來源于對生存環境改變的追求。在這個追求的過程中，贏來環境的改變，也同樣贏來事業和成就。如果生存環境很好，對于大多數人來説，上進的推動力便不够强大。正因爲如此，『從來紈絝少偉男』，便成爲社會的普遍現象。其次，人的才能，人生的事業，有不少是激出來、逼出來的。關于這一點，曾氏自己有很深的體會。他説：『世上之事，有所激有所逼者居其半。』他公開承認，他辦湘軍這件事就是激逼出來的。是誰激逼了他？是湖南的官場和緑營。一個生活在境遇非常好的家庭中的孩子，受到的激逼很少，于是他身上許多的潛能得不到發揮的機會，慢

慢地這些潛能也就消失了。一個本來很出色的人才，就會逐漸地變成庸才。第三，人性脆弱，易受誘惑。錢財多了，則誘惑便多，易讓人萌生邪念。若涉及壞事，爲非作歹，小則害一身，大則害一家一族。曾氏說得好，兒子若有用，沒有祖上家產也會自己找飯吃；若無用，家產再多也會敗光。這種不留錢財給子孫的觀點，實在是大智慧。它既不會消磨子孫創業自立的志氣，也對自己是一個保護：爲官則保廉，爲商則保身。我們試看，多少官員爲給子孫積攢錢財而身敗名裂，多少商人爲給子孫積纍財富而過勞致死！

還是老話說得好：兒孫自有兒孫福，莫爲兒孫做牛馬！

四、曾氏家庭教育的特點

（一）溫情

家庭應該是人生中一道最爲平靜的港灣，一處最爲溫馨的後院。充滿骨肉真情，是它與別的場所在本質上的最大區別；溫情脉脉，是它與別的場所在表現方式上的最大不同。曾氏說，有三者可以導致家庭的祥和，即孝致祥，勤致祥，恕致祥。其中的恕就是指的這層意思。

身爲大哥，他在家庭中絲毫不擺京官的架子，給諸弟的信裏流露的全是長兄的友愛、寬容，甚至是退讓。先後寄居在他京師家中的三個弟弟，多有令他不滿意處：九弟不合作，六弟譏諷大嫂，四弟不願意送誥命。他都以自己的退抑來解決問題，融洽兄弟的感情。即便在兒子面前，他也不擺老子的譜，甚至對兒子說自己平生有三耻：不識天文算學，做事有始無終，寫字速度慢。

曾氏對老九所說的家人骨肉之間『不可說利害話』這句話十分贊同，并檢討自己在這方面做得不够。所謂利害話，就是傷感情的話。這一點，值得我們每個家庭記取。有些家人骨肉，不但說傷感情的話，還做傷感情的事。比如常見兄弟叔侄之間爲了財産上的事對簿公堂，惡言相加，最後法院可能會將財産理清楚，但親情也便隨之一筆勾銷。這究竟值不值呢？

（二）注重小事

與歷史上的其他大人物相比，曾氏的顯著特點是關注小事，看重小事。其實，家庭中的日常事，幾乎都是小事。注重小事，既是治家的主要內容，也是培植良好家風的起點。曾氏常對諸弟說：絕大學問皆在家庭日用之間。意思是說，不要輕看了家庭中的日常瑣碎，這中間便包含著待人處世的絕大學問。

我們打開一部曾氏家書，撲面而來的都是曾氏在告訴子弟從小事做起：誠實，從不說假話做起；勤快，從不睡懶覺做起；戒驕，從不訓斥僕人做起；戒奢，從不坐轎做起；端莊，從步伐穩重做起；打掉特權，從掃地抹桌椅做起。其實，一件件、一樁樁小事做好了，大事也就慢慢做成了。這正是老話所說的：滴水成河，粒米成籮。千里之行，始于足下。

（三）制定大規劃

身爲父兄，有責任爲子弟的人生大規劃提出建議，甚至作出安排。在四個弟弟的人生大事上，曾氏爲他們作出的大規劃是不要陷入科舉中太深。當諸弟科考數度不利時，曾氏果斷

地對他們説：科舉之事誤人太多，年歲不小了，不要再一天到晚在爲考試讀書，要專心讀那些有用的先輩大家之文。他告訴諸弟，千萬不要以爲人生衹有做官纔是正途，纔能光宗耀祖，做一個好人遠比做一個大官强。

對于兩個兒子，曾氏也不要他們從科考中求出路。在兒子們成年之後，他請了兩個英國傳教士來家教他們學英文。這在當時，極爲罕見。正是曾氏這種大規劃，他的子弟纔没有把太多的寶貴光陰浪費在八股文、試帖詩中，從而求得真才實學。這纔有後來得力的軍事幫手和能够説洋話識洋文的外交家的出現。

（四）盛時當作衰時想

在曾氏的心目中，他始終把做官看作是暫時的。他説『做官不過是偶然之事，居家乃是長久之計』。他始終不把富貴當作一回事，而時時不忘過去的貧賤。直到晚年，老兄弟間對話，他還對四弟説：『吾則不忘蔣市街賣菜籃子情景，弟則不忘竹山坳拖碑車風景。昔日苦況，安知异日不再嘗之！』

他常對家人説：盛時當作衰時想。這話的意思是説：興旺的時候，要想到也可能有衰敗的一天。

正是因爲常存這種想法，所以他凡事謹慎，位高權重而不敢自我膨脹，有福不可享盡，有勢不可使盡。後世有人據此看出曾氏家族長盛不衰的冥冥天意，説這個家族的開創者，自己没有把福禄壽禧這些好處用盡，爲子孫預留充分的飯田，于是纔有綿綿餘慶，長保興旺。

五、曾氏家庭教育的啓示

曾氏的家庭教育，至少可以給我們如下幾點啓示。

（一）家庭教育可以彌補學校教育的不足

當前的學校教育普遍存在著三重三輕的現象：一重知識的傳授，即看重知識素質，輕視人格健全的培植；二重功利輕德性，即看重就業謀生的訓練，輕視道德品性的培育；三重形式輕内容，即看重高分數高學位以及各種各樣的奬狀，輕視真才實學。

受此影響，許多家長在對子女的教育上也出現與之相應的三重三輕，即重成龍輕成人、重言教輕身教、重物資激勵輕精神引導。其實，一個愛子女的家長應多爲子女的立身之本考慮。什麽是立身之本？立身之本一在品質，誠實、善良、勇敢、頑强、上進、有恒心、敬業等等，都是很好的品質；二在習慣，勤奮、儉樸、專一、有規律、愛閲讀、好收拾、善于與人溝通等等，都是好習慣。習慣很重要。長久堅持的習慣，就是性格。有兩句詩説得好：良好的習慣帶來性格的收穫，良好的性格帶來命運的收穫。這就是人們常説的性格來自習慣、性格决定命運。這些品質與習慣，都要靠家長點點滴滴、持久不懈，以慈愛之心與温馨之情去爲兒女們培植。

（二）良好家風的樹立關鍵在于家長本人的以身作則

許許多多的家長一天到晚都在教訓兒女，許許多多的家長也想建立一個良好的家風，但

大多事與願違。這其間有諸多因素在起作用，而最重要的一點是家長本人没有以身作則，或以身作則的力度不够。如我們的家長都督促孩子讀書，但自己却不愛學習；教育孩子要誠實，但自己時常弄虚作假；希望孩子敬業，但自己對待工作馬馬虎虎；等等。

曾氏雖不是聖賢，但他一生總在努力向聖賢靠近。他因此贏得中華文化的尊敬，贏得歷史的尊敬。他對家人所提出的一切要求，他自己都做到了，而且做得比别人都好。這種身教的力量、榜樣的力量最爲巨大，最爲深入人心，也就最有成效。《顔氏家訓》説：『同言而信，信其所親；同命而行，行其所服。』父母是兒女最親的人，如果也能成爲兒女最爲敬服的人，則父母的話就可以有著一言九鼎的力量。

（三）曾氏家教典型地彰顯中華文化的優良傳統

曾氏所期盼的以孝友、勤儉、讀書、睦鄰、温柔敦厚等爲内容的家庭風氣，其源頭都要追溯到以儒家學説爲主體的中華文化。曾氏留給後世子孫的四點遺囑：慎獨（謹慎獨處，即在没有監督没有約束的情況下，仍嚴格要求自己）、主敬（以恭肅之態度待人接物）、求仁（以仁愛之心待人處世）、習勞（不貪圖安逸，習慣于勤勞），是他一輩子苦苦追求的人生最高的精神價值。這些精神價值的理論依據，也完全來源于中華典籍。它由此可以啓示我們，必須繼承和弘揚中華民族的傳統優秀文化。這不僅可以爲建設新時代精神文明尋到寶貴的資源，也是今天的中國人，爲世界文明所能做出的民族貢獻。

拙誠

曾國藩三十歲時進入官場。京官十二年期間，仕途順暢，官運亨通，三十七歲便做到二品大員，晚年更是官居武英殿大學士，加太子太保銜，位至人臣之極。官場是個何等鈎心鬥角、相互傾軋的場所，若不是特别的圓滑世故、機巧虚僞，能混得這樣順利嗎？四十二歲到五十六歲長達十四年的時間裏曾氏身爲軍營統帥，帶兵打仗，成爲最後的勝利者。戰場是何等複雜殘酷、險危難測，若不是特别的心機重重、詭詐多端，他能馭驕兵悍將、能制凶惡强敵嗎？

答案似乎是肯定的：他應該是一個極端圓滑乖巧、八面玲瓏、陰險多變、高深莫測的人。其實不然，從主流來看，曾氏是一個平直篤厚、穩重樸實，甚至帶有幾分迂腐的人。

他將這種爲人處世的風格稱之爲拙誠。在《湘鄉昭忠祠記》一文裏，他希望湘鄉人『能常葆此拙且誠者』，則人才的興盛將『不可量矣』。

誠是人類社會必須具備的一種品質。如果没有誠，人與人之間便失去信任的基礎，人類社會則不可能存在，正是從這個角度出發，儒家學説認爲『不誠無物』。自古以來，人們都提倡誠，尊敬誠，説得比較多的是懇誠、篤誠、至誠、忠誠等等，而曾國藩更倡導拙誠。這是他身上很重要的一個特色。他多次以非常清晰的語言表述自己的這種主張：『人以巧來，我以拙應；人以僞來，我以誠應。』他甚至説他相信『惟天下之至拙，可勝天下之至巧；天下之至誠，

可勝天下之至僞』。

什麽是拙？拙就是笨拙的意思，它的對應面是巧。巧意味著以小的代價换來大的收穫，這最讓世人所嚮往。本是好事，但這種好事變爲一種普遍的風氣後，便會有許多負面的東西夾雜其間，最後將『好』弄成了『壞』。人們常説的機巧、乖巧、取巧、討巧、巧詐、巧言、巧語等等，便都成了貶義詞。其實，世間許多事是不能用巧來做的，尤其是其中的一些過程是不能以巧來替代的。在短期看來或許便捷，但最終誤了大事。比如生命的成長、知識的積纍、閱歷的體驗等等，便都不能取巧，否則就是揠苗助長，欲速而不達。孟子説盈科後進，是水流向前的必然方式，人世間的長久成就的獲得，也是遵循著盈科後進的規律的，故而曾氏常説天道忌巧。

該有的過程不跳躍，該下的功夫不省略，如此，成功就建築在牢固的基礎上，這種成功就必然會是長久的。這樣做，就要求人付出更多，付出的是什麽？是人的勤勞、勤奮，甚至是勤苦。勤的重要，便這樣凸顯出來。以勤補拙，笨鳥先飛，也就成爲實在人獲取成功所選擇的必由之路，故而人們常説天道酬勤。

曾氏非常看重勤。他提出的君子八德，列在第一位的德便是勤。在一篇讀書筆記中，他將自己所倡導的拙誠，即以忠勤二字來加以落實。他説：『君子欲有所建樹以濟世而康屯，則天事居其半，人事居其半。以人事與天爭衡，莫大乎忠、勤二字。亂世多尚巧僞，惟忠者可以革其習；末俗多趨偷惰，惟勤者可以遏其流。忠不必有過人之才智，盡吾心而已矣；勤不必有過人之精神，竭吾力而已矣。能剖心肝以奉至尊，忠至而智亦生焉；能苦筋骸以捍大患，勤至而勇亦出焉。余觀近世賢者，得力于此二字者，頗不乏人。余亦忝附諸賢之後，謬竊虛聲，而于忠勤二字，自愧十不逮一。吾家子姓，倘將來有出任艱巨者，當勵忠勤以補吾之闕憾。』

這段話説得既深刻又懇切，當視爲醫治世風的藥石之言。一個人要做一番大事業，天命起一半的作用，人事起一半的作用，要想從天命那裏多分一點力量過來，最重要的手段就是多盡忠與勤。世俗許多人習慣于巧僞與懶惰，唯有忠誠與勤奮可以補救世風。説忠誠，也不是説需要有過人的才智，説勤奮，也不是要有特別的精力，無非是盡己心盡己力而已。十分的忠誠，才智也便跟著出來了；十分的勤奮，勇敢也就跟著産生了。這話説得有多好！這應該是他自己的切身體悟。

論天資，曾氏很難説是上等，一連考了七次纔考上秀才，足以證明他不是天資特別聰穎的人。論精力，他也決不是那種精氣神特別旺烈的人。他三十歲時便得了肺病，年輕時即常有精力不支的感覺，後來牛皮癬伴隨他一生，五十歲之後就明顯地進入老境。事功與詩文兩方面的成就的獲得，除時代的因素外，完全得之于他過人的忠與勤。

關于這方面的體驗，他曾經與老九有過一番掏心窩子的交流：『弟書自謂是篤實一路人，吾自信亦篤實人，祇爲閱歷世途，飽更事變，略參些機權作用，把自家學壞了。實則作用萬

不如人，徒惹人笑，教人懷恨，何益之有？近日憂居猛省，一味向平實處用心，將自家篤實的本質還我真面復我固有。賢弟此刻在外，亦急須將篤實復還，萬不可走入機巧一路，日趨日下也。縱人以巧詐來，我仍以渾含應之，以誠愚應之；久之，則人之意也消。若勾心鬥角，相迎相距，則報復無已時耳。』守父喪時期，曾氏對自己出山五年來的軍事生涯作過多方面的反省，回復篤實本色，堅守拙誠之志，也是自我反省中的一個重要方面。

作爲一個軍事統帥，拙誠，在曾氏身上所體現的最大成效，莫過于西面進軍的攻取南京之策的制定與執行上。

咸豐十年春四月，太平軍一舉踏平江南大營，迅速攻克蘇南各大名城，完全打破清朝廷的軍事部署。朝廷驚恐不已，立即任命曾氏爲兩江總督，并令曾氏火速帶兵救援蘇南。朝廷急如星火，又給了他盼望已久的地方實權，按理，曾氏應遵照朝廷的指令，迅速帶兵跨越千里去救江蘇，實行朝廷一貫采取的從東南兩面圍攻南京的作戰方針。但對于收復南京一事，曾氏早已成竹在胸，他并不認同朝廷的這種安排。他考察歷史，特別關注前代收復南京的兩個成功戰例。西晉王濬在益州造船訓練水師，從上游出兵，順流而下，取吴都建康。北宋初，曹彬從江陵順流而下，水陸并進，沿途收復兩岸重鎮，然後輕取南京。這兩個戰例有一個共同點，那就是不是從東南而是從西面攻打金陵。他將自己的研究成果上報朝廷：『自古平江南之賊，必居上游之勢，建瓴而下，乃能成功。』

于是，他按照自己的部署，從上游到下游，即由西而東，采取穩扎穩打、步步爲營的方式，最後攻克南京。這個戰略決策看起來有點笨拙，費時也較久，但後來一旦南京拿下，太平天國也便頃刻烟消雲散，沒有後遺症，真正做到了乾净徹底，用毛澤東的話來説即『收拾洪楊一役，完滿無缺』。拙誠的功用，在這裏得到完美的彰顯。

作爲朝廷重臣，曾氏的拙誠，突出地體現在受命處理天津教案一事上。

同治九年五月，天津發生大教案：津民打死法國領事豐大業及多國洋人十多名，燒毀教堂、育嬰堂等多處建築。教案，是當時朝廷及地方官員們所最害怕發生的事，尤其是對身處一綫的地方官員來説，簡直令之焦頭爛額。若對洋人强硬，洋人會藉此威脅朝廷，官員的烏紗帽難保；若對洋人軟弱，則會激發民衆的憤怒，而清議則往往站在民衆一邊，官員的頭上則會戴上賣國賊的帽子，名聲立刻毁滅。曾國藩當時身爲直隸總督，是管轄天津的最高行政長官，但曾氏此時正生著重病，奉旨養病。聖旨也明明白白寫著『曾國藩病尚未痊，本日已再行賞假一月，惟此案關係緊要，曾國藩如可支持，著前赴天津，與崇厚會商辦理』。這是一件明擺著傷神費力、且兩頭不討好的事，曾氏完全可藉『如可支持』四字，强調自己病情嚴重，以『不可支持』四字推辭，取巧而不露痕迹，但曾氏秉持拙誠之原則，强打著精神，拖著病軀前往天津，臨行前給兩個兒子留下遺囑：『余若長逝，靈柩自以由運河搬回江南歸湘爲便。』這明確表示，他已抱定死在天津的决心。

曾氏雖因津案一事背負著疾病與精神上的雙重壓力，耗掉了他生命的最後一點活力，并在死後一段很長的時期裏蒙受著恥辱，但朝廷是理解他的。光緒四年八月，他的兒子曾紀澤將赴英國出任公使，陛辭時與慈禧談及父親當年『拼却聲名以顧大局』話題，慈禧由衷贊道：『曾國藩真是公忠體國之人。』歷史也最終理解了他。時至今日，幾乎不會有人再因天津教案的處置一事責難他了。

湖南這塊地方，既貧困又封閉，自古以來便民風樸實，習于勤苦。湘軍這支部隊，最大的特點是書生領山農。書生未入官場，官場的浮滑巧詐，他們尚未染上。山農單純，比起湖畔水邊的農民又更苦而倔。于是，拙誠二字，較爲容易被湘軍軍營上下認同。當這支部隊最後成了勝利之師的時候，拙誠，便以一種理念被湖湘有識之士加以提煉，并成爲近代湖湘文化的一個顯著標記。

怯弱：內心世界的另一面

曾氏有著波瀾壯闊的一生，他的人生內容很複雜。與其外在表現十分匹配的是他幽深遼遠的內心世界，而這個世界更複雜。他留下的一千餘萬言文字，是他留給歷史的一筆豐厚的遺產。研讀這筆文字遺產，既可看出一個時代弄潮兒不平常的活動軌迹，更可感覺得出一個大人物真實而豐富的精神世界。在這個世人看來豪邁蓋世、風光無限的强者的內心深處，我却常常强烈感受到他的怯弱的一面。這個特徵，貫穿曾氏的一生。

他二十八歲中進士點翰林，三十歲正式做官，十年七遷，三十七歲官居從二品，仕途之順利，少有人能與他相比。這種境遇，極容易讓處于血氣方剛的年輕人志得意滿，輕狂傲物。但我們讀他寫給家人的書信，看到的却是一個戰戰兢兢、臨深履薄者的心態。他生怕祖宗積下的德被他一個人享盡，當心諸弟因此而功名受阻。更令人難以理解的是，春風得意的年輕京官在他的詩句中經常會流露出恐懼之心。

道光二十四年，他給妹夫寫詩：『荆楚楩楠夾道栽，于人無忤世無猜。豈知斤斧聯翩至，復道牛羊爛漫來。金碧觚棱依日月，峥嶸大棟逼風雷。回頭却羡曲轅櫟，歲歲偷閑作弃材。』

他當時不過從五品的中下級文化部門的小京官，有什麽『斤斧』『風雷』會傷到他？這種恐懼豈不是莫名其妙！

更不可思議的是，寫于同年的秋懷詩：『大葉下如雨，西風吹我衣。天地氣一肅，回頭萬事非。虛舟無抵忤，恩怨召殺機。年年絆物累，俯仰憐詬譏。終然學黄鵠，浩蕩滄溟飛。』爲逃避詬譏甚或殺機，三十四歲的他，居然欲學黄鵠飛離帝都。這種怪誕從何而來？不祇藉詩發牢騷，他的確是不想在京師做官了，他要回到高嵋山去做一個『弃材』。這有他的家信爲證。

戰火燃燒後，面對强大凶狠的敵手，最初他不敢領旨做團練大臣，後來做了三軍統帥，他的怯弱之心也時有生發，他甚至在給朝廷的奏摺中也不加掩飾。他對皇上説：『道途阻梗，呼救無從。中宵念此，夢魂屢驚。』『聞春風之怒號則寸心欲碎，見賊船之上駛則繞屋彷徨。』他曾在一段較長時期裏認爲太平軍不可制服，對前景極爲失望，以至于兩次投水自殺，枕頭上常壓一把短劍，隨時準備自裁。

不祇面對强敵如此，朝廷的不絶對信任，同一營壘的掣肘猜忌也讓他時時心生恐懼，他以『虹貫荆卿之心，見者以爲淫氛而薄之；碧化萇弘之血，覽者以爲頑石而弃之』來比喻自己内心痛苦，并多次説過當年楊震所遭遇的夕陽亭事，會在他的身上重演。這些話，一百年後，讓後人讀之仍有心悸之感。

咸豐十年之後，他做了兩江總督，處境大爲改善，尤其是慈禧掌權之後，給他以兩江總督節制四省的超越常規的權力。而這個權力，正是他眼下所極爲需要的。但面對這種罕見的信任，他内心裏却是『惶悚莫名』，他希望朝廷不要給他這樣大的權：『在朝廷不必輕假非常之權，

在微臣亦得少安愚拙之分。』他的推辭是真心的，當朝廷不同意時，他再次表明這個態度：『諸道出師，將帥聯翩，臣一人權位太重，恐開斯世争權競勢之風，兼防他日外重内輕之漸。』同治五年，他出任捻戰前綫統帥，朝廷命他節制直隸、山東、河南三省軍務，他同樣推辭。

在與太平軍決戰的年月，千里長江江面，停泊著無以數計的湘軍水師戰船，每祇戰船都飄動著斗大的『曾』字帥旗。這樣的場面，應是所有帶兵統帥所渴望的，但曾氏却在給他的學生李鴻章的信中，表示出對這種局面的深重惶恐。

至于對一樣地手握重兵身處高位的九弟，曾氏更是把自己的這種心緒不斷地傳遞給他，反反復復地跟他述説重權高位的可怕：『古來成大功大名者，除千載一郭汾陽外，恒有多少風波，多少灾難，談何容易！』『處大位大權，而兼享大名，自古曾有幾人能善其末路者？總須設法將權位推讓少許，減少幾成，則晚節漸漸可以收場耳。』『自古高位重權，蓋無日不在憂患之中，其成敗禍福，則天也。』

即便是對在家看屋的四弟，他也多次説過類似的話。他説今後若能好好地退休回家與弟述談往事，那便是最好的結局。他心中總存有一種莫名的恐懼，他對老四説：『昔日苦況，安知异日不再嘗之！』

對于外界的批評，曾氏尤爲看重，常懷著一顆忐忑之心去看待人言。同治五年年底，身爲捻戰統帥的他對友人説：『弟自庚申忝竊兵符以來，夙夜祗懼，最畏人言，迴非昔年直情

徑引之故態。近有朱、盧、穆等交章彈劾，其未奉發閱者又不復知凡幾，尤覺夢魂悚惕，懼罹不測之咎。』

天津教案期間，曾氏秉承朝廷的大計，并依據對實情的調查瞭解，對教案的處置作出幾點決定：嚴懲凶手，賠償洋人損失，革職流放地方官員。無論是就當時的情形看，還是依照現時的對涉外大案的處理來說，這些決定并無大的不妥，但當輿論指責他時，他卻口口聲聲地說什麽『外慚清議，內疚神明』，對自己的處置作了否定，遠不如同辦此案的李鴻章、丁日昌的心志堅定。

以上種種，確乎讓我們看到另外一個曾國藩，這個曾國藩的內心深處有著明顯的怯弱成分。對于此一弱點，曾氏并不否認，他多次說過自己『膽氣薄弱』。

若從遺傳的角度來看，這個『薄弱』應主要來自他的父親。我們讀曾氏的《台洲墓表》，寫他的父親遭受祖父斥責時的情景：『其責府君也尤峻，往往稠人廣坐，壯聲訶斥；或有所不快于他人，亦痛繩長子。竟日嗃嗃，詰數愆尤。間作激宕之辭，以爲豈少我耶？舉家聳懼，府君則起敬起孝，屏氣負墻，踧踖徐進，愉色如初。』曾氏的這段話，意在表彰父親的孝道，但我們看到的卻是一個軟弱者的形象。老先生有一副傳誦很廣的聯語：『有田園有子孫，家風半耕半讀，但將箕裘紹祖澤；無官守無言責，世事不聞不問，且將艱巨付兒曹。』軟弱而安守本分，這就是上面兩段文字的共同基調。

曾氏的怯弱，也可能與他青少年時代功名不順的經歷有關。曾氏從十四歲開始參加秀才考試，一連考了七次，纔在二十三歲那年考上，而且録取的是倒數第二名。長達十年的時間裏，父子倆一次次地參考，一次次地鎩羽而歸。父親連考十七次，最後在四十三歲那年勉强考取。這段經歷對曾氏一生而言，絕對是沉重的陰影。從十四歲到二十三歲，既是人生身體成長的決定階段，也是人生性格成長的關鍵階段。少年早慧，功名早達，極容易助長人的輕狂自傲，反之，則有可能趨于卑弱的走嚮。對于没有依恃的農家子弟來說，往這一方嚮走似乎又更容易些。

曾氏的薄弱，還與他的體質不强、生命力不旺盛也有密切的關係。

有確鑿的資料記載：曾氏三十歲時肺病嚴重，幾于不治。三十五歲開始患牛皮癬，這個病折磨了他一輩子。戰事最困難的時候，也往往是牛皮癬最厲害的時候，癢得他整夜不能入睡，抓得皮破血流：地上盡是白皮屑，床單上滿是血漬。他哀嘆：『直無生人之樂！』四十七歲時，他得了嚴重的神經官能症、抑鬱症，夢多心悸。五十五六歲後，多種老年病都到了他的身上。他常常眩暈，舌頭蹇澀，説上二十多句話後便上氣不接下氣，手脚麻木，後來右眼失明，左眼也衹有一綫光。他十分注重養生，但他衹活了六十年零三個月，實在是身體太差了。一個身體這樣孱弱的人，要想氣勢雄壯，大概也很難。

曾氏的怯弱，應與當時官場生態的險惡關聯很大。

曾氏所處的政治環境，一方面是國勢越來越頽弱，另一方面是機制越來越僵化、官場越

來越腐敗。一句話，國運已走到末路。面對著一木獨支將傾大厦的局面，曾氏要做如許大的事業，他的困難該有多大！幕僚趙烈文深知他的處境，説他與太平軍戰所費不過十之三四，與世俗文法戰所費十之六七，而與世俗文法的周旋必須得小心翼翼，小心翼翼處便時見怯弱。

當時國家管理系統是個什麽樣子，曾氏在咸豐初年的奏疏中講得非常直白：内外官場以八個字可概括，即退縮，瑣屑，敷衍，顢頇，官員的精神狀態是『但求苟安無過，不求振作有爲』，政局是『十餘年間，九卿無一人陳時政之得失，司道無一人言地方之利病，相率緘默』。曾氏出來辦事，則要錢無錢，要糧無糧，要人無人，要權無權，處境該有多難！

即便是曾氏後來做到兩江總督，東南戰場上的最高統帥，但就在圍攻江寧的關鍵時刻，江西巡撫沈葆楨居然可以將江西境内的厘金攔截，不聽曾氏的安排。沈葆楨是曾氏一手提拔的後輩，且名正言順是曾氏的部屬，他竟然可以與曾氏對著幹，令曾氏氣憤至極。同治三年時的曾氏，已是一個爐火純青的政治家，氣度與涵養堪稱天下第一，但仍然忍不住在至親好友面前流露出心中的憤懣，且看這年三月二十六日他給郭嵩燾的信：『又適值厘金争訟，兩院不和之時，又值下游吃緊，敝處無兵可撥援江西之際，江西官紳士商嚮之謳歌幼丹而怨詈鄙人者，今且日熾而不知所届。事會相薄，變化乘除，吾嘗舉功業之成敗、名譽之優劣、文章之工拙，概以付之運氣一囊之中，久而彌自信其説之不可易也。然吾輩自盡之道，則當與彼囊也者賭乾坤于俄頃，校殿最于錙銖，終不令囊獨勝而吾獨敗。』曾氏氣極，他決心要賭一把，這就導

致了後來他所上的辭氣亢厲的奏摺。但即使這個時候，曾氏也清楚，沈葆楨是有後臺的，是得到强有力者的支持的，來讀讀他接下來的清醒之言：『近來體察物情，大抵以鄙人用事太久、兵柄過重、利權過廣，遠者震驚，近者疑忌，揆之消息盈虚之常，即合藏熱收聲、引嫌謝事，擬于近日毅然行之，未審遂如人願否？』對于那些震驚疑忌者，曾氏其實是無能爲力的，因爲他們得到世俗文法的支持，曾氏最終也衹能走『引嫌謝事』的怯弱之途。

曾氏的怯弱還因爲他生在一個滿人當家而他是漢人的特殊朝代。曾氏在擁有軍權之後，滿人朝廷對他的種種防範，筆者在多篇文章裏專題對之作了叙説，這裏就不再贅述了。滿漢之間究竟有多大的隔閡，我們可以從曾氏文字中一個很小的細節裏略作窺視。咸豐二年六月，曾氏赴江西主考任，半途中接到母逝訃告，遂改道回家奔喪。這年七月二十七日，他寫信給在京師的兒子紀澤，吩咐他各項應辦事宜，在談到發訃告時，這樣寫道：『六部九卿漢堂官皆甚熟，全散訃亦可，滿堂官必須有來往者。』給六部九卿中部級官員發訃告，凡漢人都可以發，至于滿人，没有來往的就不發。由此可以看出，熱心交往的曾氏對于與滿族官員的交往是謹慎的，其中必有不少滿員與他没有交往。手握兵符時期的曾氏，在與滿人朝廷打交道的時候，謹慎中的怯弱之態是深入骨髓的。我們來看看他同治五年十二月十一日寫給友人黄倬的信：『弟竊觀古來臣道，凡臣工皆可匡扶立德、直言極諫，惟將帥不可直言極諫，以其近于鬻拳也；凡臣工皆可彈擊權奸，除惡君側，惟將帥不可除惡君側，以其近于王敦也；凡臣工皆可壹意

孤行，不恤人言，惟將帥不可不恤人言，以其近于諸葛恪也。握兵權者犯此三忌，類皆害于爾國，凶于爾家。』看起來權傾天下、八面威風，實際上曾氏的心是懸在半空中，時時刻刻爲安全甚至爲身家性命而擔憂。他真是古今少有的怯弱的軍事統帥。

然而，就是這個膽氣薄弱的人，居然做出了人類社會最强悍的事業，此事可以給我們很深沉的啓示。

其實，絕大部分人的內心裏都有怯弱的一面。許多人因爲這種怯弱而在大事難事面前止步。曾氏以他一生的事功，明白地告訴我們，有幾分怯弱的人同樣可以做大事難事，大可不必因此而自卑自弃。同時，有怯弱感亦不會是壞事，它反倒讓我們增加敬畏之心。

就其本質來説，個體的人在人類社會中終歸是渺小的，不管他是何等的叱咤風雲不可一世，即使活着時别人奈你不何，但到時上天會請你去。你去了之後，人類社會依舊存在，它一定會按照它自身的規律生存發展。所以，我們應當對人民群衆懷敬畏之心，對社會規律懷敬畏之心。作爲萬物之一的人類，在天地宇宙中也是渺小的。蘇軾將這種渺小説得很形象：寄蜉蝣于天地，眇滄海之一粟。所謂的『人定勝天』，永遠衹能是人類宏偉的願望而已；人類實際上是不能勝天的，衹能順天法天。歸根結底，人要對社會群衆、對天地宇宙，也就是古人常説的對『道』存敬畏之心。説這些就是人的怯弱感，也未嘗不可。

有幾分怯弱感，并非不好。

含雄奇于淡遠之中——曾國藩美學思想淺析

曾國藩早在道光年間，便以古文名重京師；中年以後，又因鎮壓太平天國而被稱爲清朝的『中興名將』。烜赫的聲勢，顯貴的地位，再加上詩文創作本身的成就，使得曾國藩成爲當時及後世封建文人頂禮膜拜的偶像。

曾國藩的詩文，在過去流傳較廣。他選編的《經史百家雜鈔》，亦被視爲最佳的古文選本。他的美學思想，散見于他的全集中，隨著全集的流傳而在社會上産生了較大的影響。筆者就曾國藩對詩文的陽剛之美與陰柔之美的看法，以及他所提出的『含雄奇于淡遠之中』的美學境界，進行探索，并力圖實事求是地評判他在中國古代美學思想發展史上的應有地位。

一

清代古文以桐城派爲中堅，方苞、劉大櫆、姚鼐，號爲桐城三祖。曾國藩治學之始，即入桐城派的藩籬。他早年供職于翰林院，涉獵明清諸大儒著作，而不克辨其得失，後聞京師『有工爲古文詩者，就而審之，乃桐城姚郎中鼐之緒論，其言誠有可取』。（《曾國藩全集·書札》卷一《致劉孟蓉》）他讀了姚鼐的古文，對姚非常崇拜，自稱『粗解文章，由姚先生啓之』（《曾國藩全集·詩文·聖哲畫像記》），并將姚躋于爲『聖哲』之列。他的美學思想，深受姚鼐的影響。

姚鼐在中國美學史上，首先揭橥陽剛之美與陰柔之美的概念，用來區分文學作品中兩類

姚鼐在中國美學史上，首先揭櫫陽剛之美與陰柔之美的概念，用來區分文學作品中兩類

國藩全集·詩文·聖哲畫像記》），并將姚鼐列于三十二聖哲之列，他的美學思想深受姚鼐影響。（《曾

卷一《致劉孟容》）他讀了姚鼐的古文，才粗解文章，「由姚先生啟之也」。（《曾國藩全集·書札》

工于古文詩者，曾而後之乃桐城派中堅之論。其實說有可取。

桐城派的諸賢，他早年推崇于林說，後來則清醒地認識到其不足，而不免批評其中

清代古文以桐城派為中堅。方苞、劉大櫆、姚鼐，號為桐城三祖。曾國藩的古文之路，則為一

一

境界，進行探索，并力圖貫通東方的美學思想在中國古代美學思想發展史上的應有地位。

曾國藩詩文的陽剛之美與陰柔之美的審美理論，以及他所提出的[illegible]的美學

他的美學思想，散見于他的全集中，隨著全集的流傳而在社會上產生了較大的影響，并

曾國藩的詩文，在[illegible]廣泛流傳。他選編的《經史百家雜鈔》，是最重要的古文選本，

當時及後世文人，頗為推崇他的典範。

的一個「中興名將」，通常的事業，而忽視了他在文學上的成就。實則曾國藩是

曾國藩早年在京任職時，便以古文名重京師，中年以後，又因鎮壓太平天國而被稱為清朝

合乎人類生存之道——曾國藩美學思想淺析

冷月無聲

卷一

清 曾國藩 讀史隨筆集

有幾分樸素的真實，并非不好。

心目之人說這些就是人的性情感受，也未嘗不可。

說天的一面，順天之法天。而最終根結底，人要對社會群衆，對天地宇宙，也就是古人常說的「道」

妙道之一業。所謂的「人定勝天」，本應是人類的，實際上是不能

存在萬物之一的人類，在天地宇宙中也是渺小的，這種渺小說得很形象：者應于天地

按照自身的規律生存發展，所以，我們應當對人民群衆懷敬畏之心，對社會規律

即使生活著時間不久，但到頭來上天會請你去，你去了之後，人類社會依舊存在，它一定會

從其本質來說，個體的人在人類社會中微不足道，是渺小的，不管他是何等的叱咤風雲，不可一世，

也面自身，同時，有其強烈不會是壞事，它反而會激發我們增加敬畏之心。

曾氏以他一生的事功，明白地告訴我們：有幾分樸素的人同樣可以做大事業，大可不必因

其實，每一個人都有內心美和有性情的一面。許多人因為這種樸素而在大事業面前止步。

深沉的啟示。

然而，就是這個謙卑渺小的人，居然做出了人類社會最強悍的事業，此事可以給我們很

為安全其至高性命而謹慎。[illegible]

爾國，因于國家，「看起來權傾天下，八面威風，實際上曾氏的心是懸在半空中，時時刻刻

涌行，不[illegible]，以其近于[illegible]，謹慎害于

不同形式和内容的美。在《復魯絜非書》中，他説：『鼐聞天地之道，陰陽剛柔而已。文者，天地之精英，而陰陽剛柔之發也……其得于陽與剛之美者，則其文如霆，如電，如長風之出谷，如崇山峻崖，如决大川，如奔騏驥……其得于陰與柔之美者，則其文如升初日，如清風，如雲，如霞，如烟，如幽林曲澗，如淪，如漾，如珠玉之輝，如鴻鵠之鳴而入寥廓。』

姚鼐對陽剛和陰柔兩種美，并没有作什麼理論上的闡述，衹使用了一系列形象的比喻，便給人以生動的感性認識，造成强烈而深刻的印象。這正是中國古代美學理論表述的一個重要特色。這種表述手法，雖然被葉燮譏之爲『泛而不附，縟而不切』（《原詩》外篇），但在中國古代，却是頗受歡迎而廣泛使用的。

在姚鼐之前，劉勰、皎然、司空圖、嚴羽等都曾專門研究過詩文的風格，注意到它們之間有雄渾、勁健、豪放、壯麗與冲淡、高遠、飄逸、典雅的不同。姚鼐在前人研究的基礎上，把雄渾至壯麗幾種風格歸并爲陽剛一類，淡遠至典雅幾種風格歸并爲陰柔一類。這雖然是受《易・繫辭》陰陽剛柔思想的啓發，但仍不失爲一個創造性的見解。

曾國藩繼承姚鼐的美學觀念。他説：『吾嘗取姚姬傳先生之説，文章之道，分陽剛之美、陰柔之美。』（咸豐十年三月十七日日記）

關于陽剛之美，曾國藩認爲主要表現在四個方面，即雄、直、怪、麗。他模仿司空圖《二十四詩品》的形式，對這四種體現陽剛美的藝術風格作了説明：

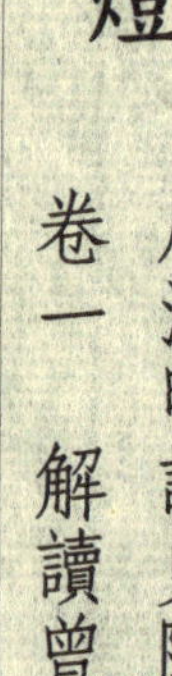

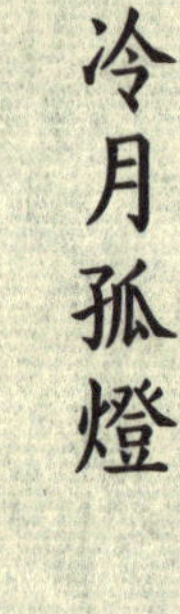

雄：劃然軒昂，盡弃故常，跌宕頓挫，捫之有芒。

直：黄河千曲，其體仍直，山勢若龍，轉换無迹。

怪：奇趣横生，人駭鬼眩，《易》《玄》《山經》，張、韓互見。

麗：青春大澤，萬卉初葩，《詩》《騷》之韵，班、揚之華。

我們仔細品味這些話，可以理解曾國藩心目中的陽剛之美，大致包括雄渾、跌宕、大氣貫注、瑰偉奇特、辭藻華麗等内容。曾國藩在與子弟談論詩文時，常常表露出他對陽剛美的這些看法。他在京師寄書給當時尚在家鄉攻讀的六弟温甫：『弟之天姿不凡，此時作文，當求議論縱横，才氣奔放，作爲如火如荼之文，將來庶有成就。』（《曾國藩全集・家書》道光二十四年五月十二日致諸弟）他鼓勵兒子：『少年文字，總貴氣象峥嶸，東坡所謂蓬蓬勃勃如釜上氣。』（同上書，同治四年七月三日論紀澤）他爲曾紀澤所作《懷人三首》前二首寫了這樣的批語：『二首風格似黄山谷，有票姚飛動之氣，故可喜。』（《曾紀澤遺集・詩集》）所謂『如火如荼』『才氣奔放』『氣象峥嶸』『票姚飛動』，都是講的陽剛之美中的雄直風格。他教曾紀澤讀韓愈五言詩時，特別指出要細心領會韓詩中的『怪奇可駭』『詼諧可笑』處，并要紀澤熟讀《文選》，分類抄寫詞藻，以醫文筆枯澀之病；并指出韓愈爲文，『先貴沉浸醲鬱，含英咀華』。這些話，説的則是陽剛之美中的奇麗風格。

曾國藩認爲，表現爲雄直怪麗各種風格的陽剛美的作品，其創作者胸中必有一種雄奇之氣，

蓄之既厚，然後發爲詩文，則其氣奔騰而出，猶如黄河一瀉千里，使得詩文瑰偉雄壯。曾國藩説：『奇辭大句，須得瑰偉飛騰之氣驅之以行。』（咸豐十一年七月日記）就是表達這個意思。他在長期『虚心涵咏，切己體察』的讀書過程中，逐漸悟出『杜詩韓文所以能百世不朽者，彼自有知言養氣工夫』，『惟其養氣，故無纖薄之響』（道光二十三年二月日記）的道理。因此，他教導兒子作文，應在『氣勢上用功，無徒在揣摩上用功』（同治四年七月三日家書）；他自己讀書，也極注意古人的行氣：『温韓文數篇，若有所得。古人之不可及，全在行氣，如列子之禦風，不在義理字句間也。』（同治元年十一月日記）不僅作文如此，就是寫字，也要講究氣勢：『凡作字，總須得勢，務使一筆可以走千里。』（道光二十三年六月六日家書）

作家的氣或氣勢，歷來被認爲是作文的關鍵所在。曹丕説『文以氣爲主』，韓愈説『氣盛則言之短長與聲之高下者皆宜』，蘇轍認爲『文』乃『氣之所形』。劉大櫆在前人論『氣』的基礎上，提出『神氣』説，認爲『氣』應與『神』相結合：『行文之道，神爲主，氣輔之。曹子桓、蘇子由論文，以氣爲主，是矣。然氣隨神轉：神渾則氣灝，神遠則氣逸，神偉則氣高，神變則氣奇，神深則氣静，故神爲氣之主。』（《論文偶記》）後姚鼐提出爲文之要素在于『神、理，氣、味、格、律、聲、色』（《古文辭類纂序》）。曾國藩論文，則側重于氣勢。在他看來，詩文（特别是文）的雄直怪麗的陽剛風格，是作者雄健之氣的體現。這種觀點，是值得注意的。

自孟子宣示『吾善養吾浩然之氣』以後，後世不少文人，致力于養氣工夫。劉勰在《文

心雕龍·養氣》中所説的『清和其心，調暢其氣』，就是强調作家須注重養氣。蘇轍認爲『文不可以學而能，氣可以養而致』，善于養氣的作者，『其氣充乎其中而溢乎其貌，動乎其言而見乎其文，而不自知也』（《上樞密韓太尉書》），這與韓愈所説的『仁義之人，其言藹如也』是近似的觀點。曾國藩的個人修養，其中重要的一條即爲養氣。在他看來，氣之培養，一靠立志，二靠修德，三靠讀書，四靠歷練。長年如此，可保胸中有一股浩然之氣。

曾國藩認爲，立志要以古聖賢爲榜樣，『明聖賢之理，行聖賢之行』（道光二十二年十月二十六日家書）。他屢屢勸諸弟莫沉溺于科舉考試中，而要窮究真學問。修德，指以孔孟程朱所揭示的一套道德觀念來約束自己的思想和行動。曾國藩認爲讀書可以變化人的氣質，除必須讀聖賢之書外，他還指出：『開拓心胸，擴充氣魄，窮極變態，則非唐之李杜韓白、宋金之蘇黄陸元八家不足以盡天下古今之奇觀……不可不將此八人之集悉心研究一番。』（同治元年一月十四日家書）他尤愛讀《莊子》韓文。《莊子》汪洋恣肆，淑詭瑰瑋；韓文氣勢磅礴，凌厲無前。讀此二書，有利于培養雄奇之氣。歷練，指通過社會實踐來鍛煉自己。曾國藩常要他的兩個兒子輪流到軍營來，以便親見刀光火影，增强膽魄。在曾國藩看來，通過立志、修德、讀書、歷練的養氣過程，胸中便常有『超群離俗之想』，而執筆作詩文，就『能脱去恒蹊』（同治元年十一月四日家書），在藝術上有所創新。

桐城派之所以能獨樹一幟并影響久遠，是與桐城派的主要作家講究文章藝術性分不開的。

著之顯晦，悉從容涵泳於詩文，則其氣象頃刻而出，猶如黃河一瀉千里，使得詩文氣勢磅礴。曾國藩認為：「[illegible]有辭大河，須得飛揚之氣，運之以行」（咸豐十一年七月日記）就是表達這個意思。他在長期「虛心涵泳」、「切己體察」的讀書過程中，逐漸悟出「杜詩韓文所以能百世不朽者，彼自有知言養氣工夫」，「惟其養氣，故無纖薄之響」（道光二十三年二月日記）的道理。因此，他強調作文，應在「氣勢上用功，無徒在詞句上用功」（同治四年七月三日家書）。他自己讀書，也極注意古人的行氣，「溫韓文數篇，若有所得。古人之不可及，全在行氣，如神龍之變化，不在義理字句間也」（同治元年十二月日記）。不僅作文如此，就是寫字也要講究氣勢，「凡作字，總須得勢，使一筆可以走千里」（道光二十三年六月六日家書）。

作家的氣，歷來被看作是作文的關鍵所在，曹丕說「文以氣為主」，韓愈說「氣盛則言之短長與聲之高下者皆宜」，[illegible]「文」乃「氣之所至」。劉大櫆[illegible]的重要性上，提出「神」「氣」說，[illegible]「行文之道，神為主，氣輔之」，[illegible]

自古至今，[illegible]，不少文人，致力于養氣工夫。劉勰在《文

冷月孤燈

卷一 [illegible]

一二〇

心雕龍・養氣》中所說的「清和其心，調暢其氣」，就是強調作家注重修養。蘇轍認為「文不可以學而能，氣可以養而致」，善于養氣的作者，「其氣充乎其中而溢乎其貌，動乎其言而見乎其文，而不自知也」（《上樞密韓太尉書》）。這與韓愈所說的「仁義之人，其言藹如也」是一脈相承的。曾國藩的個人修養，其中重要的一條即為[illegible]。在他看來，[illegible]一章立志，二章養氣，三章讀書，四章屬文[illegible]

曾國藩認為，立志要以古聖賢為榜樣，「明聖賢之理，行聖賢之行」（道光二十二年十月二十六日家書）。他[illegible]，而要窮究其學問，修德[illegible]理，[illegible]的一套道德觀念來約束自己的思想和行動。曾國藩認為讀書可以變化人的氣質，除潛心讀聖賢之書外，他還指出：「[illegible]則非唐之李杜韓白、宋金之蘇黃、陸元八家不足以盡天下古今之奇觀……不可不將此八人之集悉心研究一番。」（同治元年一月十四日家書）他在家讀《莊子》《韓文》[illegible]

[illegible]讀書，[illegible]而執筆作詩文，須一眼照去[illegible]（同治元年十一月四日家書），在藝術上有所創新。

桐城派之所以能獨樹一幟，蔚為大宗，是與桐城派的主要作家講究文章藝術分不開的。

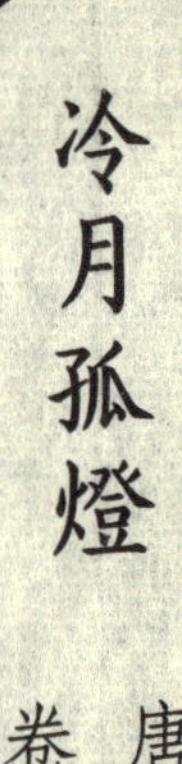

方苞講『義法』，著重于『言有序』。劉大櫆認爲義理、書卷、經濟，不過是文人爲文之材料，而神氣音節，纔是文人爲文的真正本領。姚鼐强調將『神理氣味』寄寓于『格律聲色』之中，都是從藝術性著眼的。作爲桐城派的振興者，曾國藩亦十分重視文章的形式美，他曾對理學開山祖師周敦頤把文章比爲『虛車』表示不滿，諄諄教導諸弟子任要學習爲文的技巧，他認爲『不善作，則如人之啞不能言，馬之跛不能行』（同治十年十月二十三日家書）。

曾國藩認爲具有陽剛風格的古文的形式美，首先表現在段落的起結上。他說：『爲文全在氣盛，欲氣盛全在段落清。每段分束之際，似斷不斷，似咽非咽，似吞非吞，似吐非吐，古人無限妙境，難于領取。每段之處似承非承，似提非提，似突非突，似紓非紓，古人無限妙用，亦難領取。』（咸豐元年七月日記）在曾國藩看來，表現爲陽剛風格的文章，大氣磅礴，有不可遏止之勢，故爲文須特别注意段落清楚，而在段與段的分束張起之際，要把斷咽、吞吐、承提、突紓巧妙地結合起來，使之互相依存和滲透，達到天衣無縫的藝術境界。這種寫作技巧，的確不易掌握。

寫古文還要重視造句選字。曾國藩在回答兒子問古文雄奇之道時説：『雄奇以行氣爲上，造句次之，選字又次之。然……未有字不雄奇而句能雄奇，句不雄奇而氣能雄奇者。是文章之雄奇，其精處在行氣，其粗處全在造句選字也。』（咸豐十一年一月四日家書）精粗，本是莊子論道時使用的概念，曾國藩把它借用過來，分别指文章的虛處和實處。他認爲，若能于字、句、段落這些實處做到雄奇，那麽文章的氣魄聲勢等虛處也自然雄奇，整個文章便形成陽剛之美。因此曾國藩屢命兒子鑽研音韵的訓詁之學。他感嘆宋以後能文章者不通小學，清代大儒對小學訓詁雖超越近古，直逼漢唐，但文章不能追尋古人深處。他立志『欲以戴、錢、段、王之訓詁，發爲班、張、左、郭之文章』（同治二年三月四日家書）。

對于陰柔之美，曾國藩亦有四個字的概括，即茹、遠、潔、適。他這樣加以説明：

茹：衆義輻輳，吞多吐少，幽獨咀含，不求共曉。

遠：九天俯視，下界聚蚊，寤寐周孔，落落寡群。

潔：冗意陳言，類字盡芟，慎爾褒貶，神人共監。

適：心境兩閑，無營無待，柳記歐跋，得大自在。

用比較顯豁的話來説，陰柔之美的風格主要表現爲：含蓄蘊藉，悠遠雅静，簡潔雋永，舒緩恬淡。曾國藩把司馬遷、劉向、歐陽修、曾鞏的文章，韋莊、孟浩然、陶潛、謝朓、白居易的詩，列爲最具有茹遠潔適風格的陰柔之美的作品。他對陰柔美的詩文很欣賞，針對兒子紀澤的氣質興趣，鼓勵他多讀陶、謝之詩：『五言詩，若能學到陶潛、謝朓一種冲淡之味，和諧之音，亦天下之至樂，人間之奇福也。爾既無志于科名禄位，但能多讀古書，時時哦詩作字，以陶寫性情，則一生受用不盡。』（同治元年七月十四日家書）他讀蘇軾詩，對其陰柔美的一面能心領神會：『日内于蘇詩似有新得，領其冲淡之趣，灑落之機。』（咸豐十一

年六月日記）因而有一種『聲出金石之樂』。（咸豐十一年十二月日記）在與人談論詩文時，他也常常極有興致地暢談這種樂趣。他在寫給吳敏樹的信中說：『國藩嘗好讀陶公、韋、白、蘇、陸閑適之詩，觀其博覽物態，逸趣橫生，栩栩焉神愉而體輕，令人欲弃百事而從之游，而惜古文家少此恬適之一種。獨柳子厚山水記，破空而游，并物我而納諸大適之域，非他家所可及。』曾國藩在這裏的分析是相當深刻的。他甚至認爲人生具有陶淵明、韋莊、孟浩然等人的『高淡襟懷』，『雖南面王不以易其樂也』（同治六年三月二十二日家書）。在世事攖懷、心情憂煩的時候，曾國藩常把心身沉浸于這些閑適冲淡的古人詩文中，以期得到暫時的超脱。

曾國藩分析詩文的陽剛之美主要在于氣勢雄奇，同時又體味到詩文的陰柔之美在于情韵悠遠。他編完《經史百家雜鈔》後，對姚鼐所標舉的陽剛陰柔之美作了進一步的發揮，他說：『大抵陽剛者氣勢浩瀚，陰柔者韵味深美。浩瀚者噴薄出之，深美者吞吐而出之。』（咸豐十年三月十七日日記）所謂『吞吐而出之』，即采用委婉曲折、迴旋往復的手法表達作者的思想感情，使人讀後覺得餘味無窮。曾國藩認爲序跋、書牘、典志等類型的文章宜『吞吐』不宜『噴薄』。他在談到五言古詩時，就把『吞吐』和『噴薄』并列視爲兩種很高的境界：『一種比興之體，始終不説出正意……曹、阮、陳、張、李、杜往往有之。一種盛氣噴薄而出，跌蕩淋漓，曲折如意，不復知爲有韵之文，曹、鮑、杜、韓往往有之。』（同治八年二月日記）無論是噴薄式的陽剛之美，還是吞吐式的陰柔之美，衹要前者能有浩瀚的氣勢，後者能有深

美的韵味，都可以達到藝術上的很高境界。因此，曾國藩評論詩文，主張氣勢、識度、情韵、趣味四者并重，同時提出『有氣則有勢，有識則有度，有情則有韵，有趣則有味』（同治四年六月一日家書）的美學見解。

二

姚鼐認爲：『苟有得乎陰柔陽剛之精，皆可以爲文章之美。』（《海愚詩鈔序》）但是，姚鼐并不掩飾自己對于雄渾勁健的陽剛之美的喜愛。他説：『文之雄偉而勁直者，必貴于温深而徐婉。温深徐婉之才，不易得也，然其尤難得者，必在乎天下之雄才也。』（同上書）在這方面，曾國藩亦與姚鼐持同樣看法。

曾國藩既愛氣勢雄奇的陽剛之美，也愛韵味深遠的陰柔之美，但二者相較，他更偏愛陽剛。他平生喜愛揚雄、韓愈的『雄奇瑰瑋之文』，尤其是韓愈的文和古詩，更是他心目中陽剛美的典範。他作詩作文，竭力模仿韓愈的崛强奇詭、氣勢雄壯的風格。與此相反，他對歸有光的文章總有不足之感：『讀震川文數首，所謂風雪中讀之，一似嚼冰雪者，信爲清潔，而波瀾意度，猶嫌不足以發揮奇趣。』（咸豐九年六月日記）

曾國藩偏愛陽剛美，與他的禀賦與經歷有密切關聯。他秉性倔强，認爲『凡事非氣不舉，非剛不濟』（同治二年四月二十七日家書）。湘軍創建之初，外受太平軍多次毁滅性的打擊，內遭地方官員的掣肘，他確實處于艱難狀態，但他咬緊牙關，終于熬過來了。長期的戰爭經歷，

鑄造了他的非同尋常的頑强性格。因此，在文藝理論上，他很容易接受姚鼐的陽剛美的觀念。

陽剛之美的詩文雖爲曾國藩所喜愛，但這并不是他理想中的最佳之境。他追求的最高目標，是將陽剛之美與陰柔之美相結合的作品，即具有『含雄奇于淡遠之中』的美的詩文。他在仔細揣摩劉墉《清愛堂帖》後，領悟了一個很重要的道理：

『看劉文清公《清愛堂帖》，略得其冲淡自然之趣，方悟文人技藝佳境有二：曰雄奇，曰淡遠。作文然，作詩然，作字亦然。若能合雄奇于淡遠之中，尤爲可貴。』（咸豐十一年六月日記）

在寫給張裕釗的信中，曾國藩也談到了這個認識：

『昔姚惜抱先生論古文之途，有得于陽與剛之美者，有得于陰與柔之美者，二端判分，畫然不謀……然柔和淵懿之中必有堅勁之質、雄直之氣運乎其中，乃有以自立。』（《曾國藩全集·書信》之二）堅勁之質、雄直之氣運于柔和淵懿之中，也就是『含雄奇于淡遠之中』的另一種説法，即陽剛與陰柔的和諧統一。

曾國藩在論書法藝術時，多次談到這兩種美的結合：

『作字之道，剛健、婀娜二者缺一不可。余既奉歐陽率更、李北海、黄山谷三家以爲剛健之宗，又當參以褚河南、董思白婀娜之致，庶爲成體之書。』（咸豐十一年十月日記）

詩文書畫，有相通之處，曾國藩將寫字與作詩文聯繫在一起，闡明雄奇與淡遠之間的關係：

『作字之道，二者并進，有著力而取險勁之勢，有不著力而得自然之味。著力如昌黎之文，不著力如淵明之詩……二者闕一不可，亦猶文家所謂陽剛之美、陰柔之美矣。』（同治三年五月日記）

『大抵作字及作詩古文，胸中須有一段奇氣盤結于中，而達之筆墨者，却須遏抑掩蔽，不令過露，乃爲深至。』（咸豐十一年九月日記）

陽剛之美，貴在作品中蓄有雄奇的氣勢，是一種崇高的美，但有時不免使人産生泄露無餘之感；陰柔之美，妙在作品中含有深婉的韵味，是一種優美的美，但往往顯得纖細薄弱：祇有二者結合，揚長避短，纔能使作品進入高度完美的境界。曾國藩提出的『含雄奇于淡遠之中』的命題，生動地表述了陽剛之美和陰柔之美，在互相融合之後所形成的文學藝術作品的一種高層次的美的形式、美的意境，這是曾國藩美學思想的集中表現，它對姚鼐的陽剛陰柔之説有較大發展。

《易·繫辭》説『一陰一陽之爲道』，又説『陰陽合德，而剛柔有體』。《易傳》最先揭示出自然界所存在的陰陽剛柔的現象，并强調這兩種不同形式和内容的現象統一的重要性，爲中國古代樸素辯證法奠定了堅實的基礎。正是在這種思想指導下，中國古典美學中積纍了很豐富的辯證觀念。老子提出『大巧若拙』的觀點，揭示了審美意識中對巧和拙關係的辯證認識。此外，還有一些美學範疇，如文與質、形與神、虚與實、有與無、動與静、絢與淡等等，歷代美學家們都有許多寶貴的辯證論述。劉勰將剛柔作爲作家氣質的區分而引進文學評論，并認爲『氣以實志，志以定言』（《文心雕龍·體性》），從而將剛柔賦予了審美的含義。之後，

人們在評論藝術品時，總結出這些經驗：寫字要『剛健含婀娜』，『高韵深情，堅質浩氣，缺一不可』；作畫要講究『寓剛健于婀娜之中，行遒勁于婉媚之内』；填詞要注意『壯語要有韵，秀語要有骨』，寫小説要做到『疾雷之餘，忽覩好月』等等，這些都是將陽剛之美與陰柔之美結合的精彩論述，道出了這樣一個藝術觀念：具有陽剛美的形象，不僅要雄奇瑰瑋，而且要有内在的悠遠情韵，令人咀嚼品味；具有陰柔美的形象，不僅要柔和秀雅，而且要有一股强勁之氣充滿其中，令人不致感到靡弱。曾國藩對中國古典美學深有領會，在對詩文字畫的廣泛研究基礎上，總結出『含雄奇于淡遠之中』的創作經驗，豐富和發展了中國傳統美學思想。

桐城派的創立者方苞、劉大櫆、姚鼐，以程朱理學爲其文學創作的指導思想，繼承唐宋古文的傳統，提出義理、考據、辭章相統一的原則，古文經他們的提倡，在清代形成了浩大聲勢。由于方苞大力强調雅潔的藝術手法，姚鼐雖稱道陽剛美而所作却多屬陰柔美，世人『喜其嚴静，一沉溺其中，便成薄弱』（林紓《桐城派古文選》），因而桐城派古文延續到曾國藩時代，已成强弩之末，于是曾氏努力振興桐城派。一方面，他順著時代潮流，在姚鼐提出的『義理、考據、辭章』三項主張中加入『經濟』，强調古文經邦濟世功用；另一方面，他大力提倡雄奇風格，以扭轉時人屬文薄弱的傾嚮。他提出『含雄奇于淡遠之中』的美學見解，希望人們以此進行創作，提高古文的品質。

曾國藩勤奮地寫作古文，爲大家提供範例。他的學生黎庶昌、張裕釗、吴汝綸、薛福成

等也寫了一些較有影響的文章。這些文章，大部分都顯得氣勢旺盛而又有韵致，如薛福成的《觀巴黎油畫記》，若以『含雄奇于淡遠之中』的標準衡量，亦庶幾乎近之。

曾國藩古文的顯著特色是氣勢雄直，聲光炯然，有异于桐城派文章的風格。因此，後世不少人都認爲曾國藩的文章可自成一派，如李詳主張稱之爲『湘鄉派』（《論桐城派》）。錢基博贊同李説，他在《現代中國文學史》中指出：

『湘鄉曾國藩……自稱私淑于桐城，而欲少矯其緩懦之失。故其持論以光氣爲主，以音響爲輔，探源揚、馬，專宗退之，奇偶錯綜，而偶多于奇，複字單詞，雜厠相間，厚集其氣，使聲彩炳焕而戛焉有聲。此又异軍突起而自爲一派，可名爲湘鄉派。一時流風所被，桐城而後，罕有抗顔行者！門弟子著籍甚衆，獨武昌張裕釗、桐城吴汝綸號稱能傳其學。吴之才雄，而張則以意度勝；故所爲文章，宏中肆外，無有桐城家言寒澀枯窘之病。』錢基博對曾國藩及其弟子們的文章的評論，基本上是公允的。曾國藩和他的弟子們所寫的古文，以其剛健雄奇的風格，矯桐城末流平庸孱弱之弊，在當時影響頗大。對這個方面，前代論者研究較多，而對他們所提出的『含雄奇于淡遠之中』的美學命題，往往都忽略了。儘管曾國藩和他的弟子們的大多數文章顯得偏重陽剛之美，對陰柔之美注意不够，但他們也不乏雄奇與淡遠相結合的作品。而這，也是湘鄉文派區别于桐城文派的一大特色，至于他們對此所作的理論闡述，則無疑仍值得我們重視。

一生中受影響重大的書籍

曾國藩一生愛讀書，勤奮學習，臨死的前一天還在讀《理學宗傳》。書伴隨著他一生，書也給他一生帶來無窮的收益。他一生最愛讀的四種書，一爲《史記》，二爲《漢書》，三爲杜詩，四爲韓文。《史記》《漢書》鋪築他的學養之基，讓他對人情世故的辨識心中有數；韓文的雄奇之氣，杜詩的沉鬱之思，是曾氏的文章能開宗立派的兩大支柱。這些我們也且不説。僅就世人所仰慕的曾氏事功，書籍也給予他很多很大的幫助。他的巨大事功，正是建立在他的好學深思力行之上，下面簡單地説一説幾部對他一生影響重大的書。

一、在修身自律上，他得益于《朱子全書》。

曾氏在中進士點翰林後，對自我的期望更大，他將名字由子城改爲國藩，意爲要做一個對國家有大作用的人。從儒家學説看來，一個想要治國平天下的人，先要從修身、齊家做起。修身，即去掉自身的毛病，健全人格素質，提高精神境界。三十來歲的青年曾國藩身上有些什麽毛病呢？從他的早年日記中，我們看到他至少有九個大的毛病：一爲褊激，二爲躁動，三爲虚僞，四爲自以爲是，五爲好名，六爲好利，七爲好色，八爲無恒，九爲有不良嗜好。曾氏决心痛改這些毛病。他在師友幫助監督之下，開始長達數年嚴格刻厲的修身生涯。他的老師是當時京師士林的精神領袖湖南人唐鑒。唐鑒告訴他以《朱子全書》爲教材，將書中所

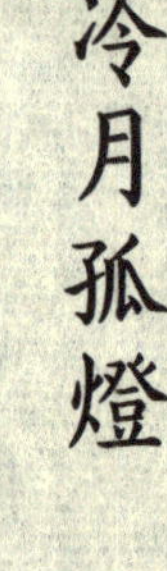

説的話切實踐行于自身。《朱子全書》是程朱理學的創始人朱熹著作的分類彙編，有六十六卷之多，囊括了朱熹對經學、史學、文學、樂律以及自然科學研究的全部著作，代表著當時學術界的最高成就。曾氏針對自身的毛病，從《朱子全書》找出五門重點功課，即誠、敬、静、謹、恒，嚴格遵循先賢教導，以慎獨的高標準，以血戰到底的决心與過去的自我作毫不留情的鬥争。經過這樣的努力，他改正了不少毛病，尤其可貴的是他從此以後養成了自律的思維方式與行爲方式，因此打下了堅實的人格基礎，這是他一生事業的根本之所在。

二、在湘軍創建之初，他得益于《紀效新書》與《練兵實紀》。

咸豐二年十二月下旬，曾氏接受團練大臣的任命來到長沙，開始在省城訓練起由一千人組成的大團。這個大團的一千人都是臨時從湘鄉招募的農民，曾氏希望這支團練能擔負起與太平軍作戰的重任。但曾氏是一個書生出身的文職官員，對軍事毫無經驗。清政府的官方軍隊即八旗與緑營，又不可能提供這方面任何有用的藉鑒。八旗早已腐敗，緑營也正在走向腐敗，曾氏從心裏也不看好這兩支軍隊，他要另起爐灶，赤地新立。他勤讀前人寫的軍事書籍，努力彌補自己在這方面的不足。在前代軍事著作中，他最看重的是戚繼光的兩部兵書，一爲《紀效新書》，一爲《練兵實紀》。

大家都知道，戚繼光是明代有名的抗倭將領。明嘉靖三十四年（公元一五五五），戚繼光在義烏招集農民、礦工編練成軍，人稱戚家軍。這支戚家軍後來成爲抗倭主力軍，在浙江、

一生中受影響重大的書籍

曾國藩一生愛讀書，臨死的前一天還在讀《理學宗傳》。書籍陪伴他一生，書也給他一生帶來莫大的收益。他一生最愛讀的四種書：一爲《史記》，二爲《漢書》，三爲杜詩，四爲韓文。《史記》《漢書》讓他對人情世故的洞識心中有數，韓文的雄奇之氣、杜詩的沉鬱之思，是曾氏的文章能開宗立派的兩大支柱。這些姑且不說。僅就世人所推崇的曾氏事功，書籍也給予他很多有益的幫助。他的三大事功，正是建立在他的好學深思力行之上。下面簡單說一說讓他一生受影響重大的書。

一、在修身自律上，他得益於《朱子全書》。

曾氏在中進士點翰林後，對自己的期望更大，立志要做一個對國家有大作用的人。在儒家看來，一個想要治國平天下的人，首先必須修身齊家。修身，即去掉自身的毛病，健全人格素質，培育品德情操。三十來歲的青年曾國藩身上有些什麼毛病呢？從他的早年日記中，我們看到他至少有九個大的毛病：一爲褊激，二爲躁動，三爲虛偽，四爲自以爲是，五爲好名，六爲好利，七爲好色，八爲無恆，九爲不良嗜好。曾氏決心痛改這些毛病。他在師友倭仁、唐鑑的指導下，開始長達數年的刻苦的修身生涯。他的老師們是當時京師士林的精神領袖，都非常推崇並以《朱子全書》爲教材，將書中所

說的諸切實施行於自身。《朱子全書》是程朱理學的創始人朱熹著作的分類彙編，有六十六卷之多，囊括了朱熹對經學、史學、文學、樂律以及自然科學研究的全部著作，代表着當時學術界的最高成就。曾氏針對自身的毛病，從《朱子全書》找出五門實踐功課：誠、敬、靜、謹、恆，嚴格遵循先賢教導，以極端的高標準，以堅毅到底的決心與過去的自我作毫不留情的鬥爭。經過這樣的努力，他改正了不少毛病，尤其可貴的是他從此以後養成了自律的思維方式與行爲方式，因此打下了堅實的人格基礎，這是他一生事業的根本之所在。

二、在湘軍創建之初，他得益於《紀效新書》與《練兵實紀》。

咸豐二年十二月下旬，曾氏接受朝廷的任命來到長沙，開始在省城組建一支由一千人組成的大團。這個大團的一千人都是臨時從湘鄉招募的農民。曾氏希望這支團練能擔負起與太平軍作戰的重任。但曾氏是一個書生出身的文職官員，對軍事毫無經驗。清政府的官方軍隊即八旗與綠營，又不可能提供這方面任何有用的經驗。八旗早已腐敗，綠營也正在走向腐敗。曾氏從心裏也不看好這兩支軍隊，他要另起爐灶，赤地新立。他熟讀前人寫的軍事書籍，努力彌補自己在這方面的不足。在前代軍事書籍中，他最看重的是戚繼光的兩部兵書，一爲《紀效新書》，一爲《練兵實紀》。

大家都知道，戚繼光是明代有名的抗倭將領。明嘉靖三十四年（公元一五五五），戚繼光在義烏招集農民，施以訓練成軍，人稱戚家軍。這支戚家軍後來成爲抗倭主力軍，在浙江、

福建沿海一帶，爲保衛海疆、解除倭患立下汗馬功勞。戚繼光將他組建訓練戚家軍的經驗總結成一部名曰《紀效新書》的兵書。該書分束伍、營陣、實戰、舟師、守哨、練將等篇章，詳細地記載戚家軍的有關情況。後來戚繼光在薊集兵營裏又寫下另外一部軍事書籍，名叫《練兵實紀》。這部書記載了軍營軍器訓練，還闡述了戚繼光的練兵思想、兵法理論。戚家軍與湘軍有太多相似之處，戚繼光的經驗對曾氏有太多的藉鑒作用，戚繼光當年不少成法，完全就可以搬過來照著原樣實行。所以，曾氏當時把這兩部書當作寶典閱讀。他從一個三門幹部、文職官員迅速成長爲一個三軍統帥，《紀效新書》《練兵實紀》這兩部書所起的作用至關重大。

咸豐二年十二月，湘軍在長沙草創成型。曾氏向朝廷報告：『臣擬現在訓練章程，宜參訪前明戚繼光、近人傅鼐成法，但求其精，不求其多；但求有濟，不求速效。』湘軍初期，曾氏在給友人和部下的信中，也多次提到戚繼光。他在咸豐三年十月給友人的信中說到『遠希南塘，近法重庵（傅鼐字）』。在咸豐四年正月，又在給部下的信中說：『戚南塘論招勇之法，亦嘗詳及此層，其説極精。』由此可見，戚繼光在當時曾氏心目中的地位。

《史記》上有黃石公授張良《太公兵法》的記載，《水滸》裏有九天玄女授宋江三卷用兵打仗天書的故事，野史中也有彭鳴九授其子彭玉麟《公瑾水戰法》的傳説。這些記述都在説明一件事，即軍事書籍對帶兵者的重要性，尤其是對那些非行伍出身如張良、宋江、彭玉麟這些人來説，迅速從文員轉變爲軍事指揮人員，從外行轉變成爲內行，最便捷最有效的途徑就是多讀相關的兵書。張良、宋江、彭玉麟的故事或許有些小説的成分，而曾氏靠《紀效新書》《練兵實紀》完美轉型，則是千真萬確的事。

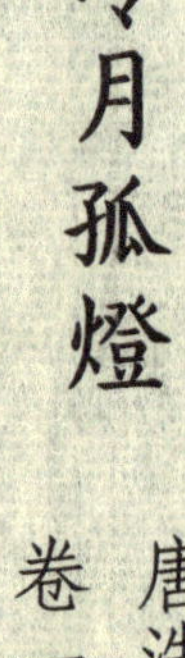

三、在他人生走進低谷、精神幾欲崩潰的時候，他得益于《老子》《莊子》。

自從組建湘軍來，曾氏就幾乎再也沒有過舒心的日子。草創初期，他便與長沙文武兩界不和。咸豐三年八月，他是懷著滿腔抑鬱與激憤來到衡州府的。他在衡州府大辦湘軍，當然主要是爲了事業，但也有幾分與長沙官場鬥氣的個人情緒在內。咸豐四年正月二十八日，曾氏在衡州府誓師北進，直到咸豐七年二月二十九日，曾氏回到老家料理父親喪事，三年多來，曾氏轉戰于湖南、湖北、江西，除咸豐四年七月攻克岳陽到十月兵臨九江這段時間軍事順利，接連收復岳州、武漢、蘄州、田家鎮等重要城鎮外，其他兩年多的時間，戰事都在膠著狀態中。這期間，他經歷過兩次兵敗投水自殺，三次長時間被圍以及水師被腰斬，陸軍多次慘敗的沮喪，又經歷過塔齊布、羅澤南等重要將領去世及與江西官場鬧翻的打擊。父親的突然離去，更令他心情痛苦。他不待朝廷批准便匆忙回家奔喪一事，又招致京師、江西、湖南官場的強烈指責。對于曾氏來説，這真是屋漏遭雨，雪上加霜。辦完喪事，他立刻就病倒了。他不思飲食不能安寢，神情恍惚，胸中堵塞，一寸大的毛筆字他都看不清楚，自己覺得隨時都有死去的可能。他無數次地責備自己無能，他更無數次埋怨別人對他不理解不支持不合作。他甚至怨恨朝廷對他不信任，乃至于猜忌懷疑。他對心腹朋友説：『虹貫荊卿之心，見者以爲妖氛而薄之；

碧化萇弘之血，覽者以爲頑石而弃之。』他爲此而憂傷，而委屈不平，而恐懼。他擔心東漢楊震受人誣陷憤而自殺的夕陽亭舊事，會在他身上重演。勞而無功、忠而受謗的曾國藩，在他四十七八歲的時候走入人生的最低谷。他的精神狀態已臨崩潰的邊緣。

正所謂當局者迷，旁觀者清。曾氏的這種種苦惱固然都可以理解，他心存委屈也自有足够的理由，但是他所面臨的最大問題不在這裏，而在于他的思維走進了誤區，但他本人對此一無覺悟。曾氏的朋友深爲他的這種狀態而憂慮。他們認爲，曾氏需要有高人以他能接受的方式予以及時點撥。

長沙名醫曹鏡初受衆人所托來到湘鄉曾氏老家。他先是純以一個醫生的身份，給曾氏把脉看病開處方。待曾氏病情有較大的好轉，對曹很有信任感的時候，曹鏡初鄭重其事地對曾氏説，他的病是多方面的，身病固然有，但不是主要的，主要的是心病，病在思維方式上，然後曹鏡初説了兩句對曾氏有振聾發聵作用的話：『岐黄可醫身病，黄老可醫心病。』岐黄指岐伯與黄帝，二人的對話即《黄帝内經》，乃中國的醫家之宗，故而岐黄指的就是醫術。黄老即道家學説。曹鏡初的意思是，醫藥治的是身體上的病，心病的治療靠的是黄老之學。曹勸曾氏結合這幾年的經歷細讀《道德經》和《南華經》，也就是我們所熟知的《老子》與《莊子》這兩部書。

《老》《莊》這兩部書，曾氏過去當然讀過，但那時候是以一般讀書人的心態讀，而没

有把自己的親身歷練投入進去，對《老》《莊》的領悟自然不深透。聽從曹的建議，曾氏在極度困境中重讀《老》《莊》，果然收到奇效。曾氏的這種悟道的心路歷程，較爲細緻地寫在他同治元年四月十一日的日記中，且讓我們一起來品味他的這段感悟：『静中細思，古今億萬年無有窮期，人生其間數十寒暑，僅須臾耳。大地數萬里不可紀極，人于其中寢處游息，晝僅一室耳，夜僅一榻耳。古人書籍、近人著述浩如烟海，人生目光之所能及者，不過九牛一毛耳。事變萬端，美名百途，人生才力之所能辦者，不過太倉之一粒耳。知天之長而吾所歷者短，則遇憂患横逆之來，當少忍以待其定；知地之大而吾所居者小，則遇榮利争奪之境，當退讓以守其雌；知書籍之多而吾所見者寡，則不敢以一得自喜，而當思擇善而約守之；知事變之多而吾所辦者少，則不敢以功名自矜，而當思舉賢而共圖之。夫如是，則自私自滿之見可漸漸蠲除矣。』

這段感悟，感到了什麽，悟到了什麽呢？簡單地説，即真正讀明白了宇宙是永恒的，人類是渺小的；外界力量是强大的，自身力量是弱小的；天地之間的資源是豐富的，人一身所需是有限的這些内容。這就是老莊反反復復要闡釋的宇宙人生的另一番道理。它與儒家所主張的積極入世、澄清天下一樣，都有它的正確一面，當然，也有它的缺陷之處。當人一門心思一根筋地沉溺于『以一身擔天下』的狀態中時，是很需要以這種老莊『無爲』來點撥他的。從這個意義上來説，老莊此時所起的作用，便是醫治心病的良藥。

語化甚速之事，覺者以為有損而棄之」，他為此而變得憂鬱，而委屈不平，而恐懼。他擔心東漢楊震受人誣陷而自殺的歷史悲劇會在他身上重演。勞而無功、忠而受誣的曾國藩，在他四十七八歲的時候走入人生的最低谷。他的精神狀態已臨崩潰的邊緣。

正所謂當局者迷，旁觀者清。曾氏的這種痛苦情緒當然可以理解，他心存疑團也有足够的理由。但是，他所面臨的最大問題不在這裡，而在於他的思維走進了誤區，但他本人對此一無覺察。曾氏的朋友深知他的這種狀態而憂慮，他們認為曾氏需要有高人以他能接受的方式予以及時點撥。

長沙名醫曹鏡初受眾人所託來到湘鄉曾氏老家。他先是以一個醫生的身份，給曾氏把脈看病開處方。待曾氏病情有較大的好轉，對曹很有信任感的時候，曹鏡初鄭重其事地對曾氏說：他的病是多方面的，身病固然有，但不是主要的，主要的是心病，表在思想方式上。然後曹鏡初說了兩句對曾氏有極大觸發作用的話：「岐黃可醫身病，黃老可醫心病。」一般說法，岐伯與黃帝二人的對話即《黃帝內經》，乃中國的醫家之宗，故而岐黃指的就是醫術。黃老即道家學說。曹鏡初的意思是，醫藥治的是身體上的病，心病的治療靠的是黃老之學。實則曾氏在這幾年中已經細讀《道德經》和《南華經》，也就是我們所熟知的《老子》與《莊子》這兩部書。

《老》《莊》這兩部書，曾氏過去當然讀過，但那時只是以一般讀書人的心態讀，而沒

有把自己的經歷與感受放入進去，對《老》《莊》的領悟自然不深透。讀了曹鏡初的建議，曾氏在極度困苦中重讀《老》《莊》，果然收到奇效，曾氏的這種道理觀念有了逐漸的轉變過程。咸豐八年四月十一日日記中，他這樣寫道：「靜中細思，古今億萬年無有窮期，人生其間數十寒暑，僅須臾耳。大地數萬里不可紀極，人於其中寢處游息，晝僅一室耳，夜僅一榻耳。古人書籍，近人著述，浩如煙海，人生目光之所能及者，不過九牛一毛耳。事變萬端，美名百途，人生才力之所能辦者，不過太倉之一粒耳。知天之長而吾所歷者短，則遇憂患橫逆之來，當少忍以待其定；知地之大而吾所居者小，則遇榮利爭奪之境，當退讓以守其雌；知書籍之多而吾所見者寡，則不敢以一得自喜，而當思擇善而約守之；知事變之多而吾所辦者少，則不敢以功名自矜，而當思舉賢而共圖之。夫如是，則自私自滿之見可漸漸蠲除矣。」

這段話悟到了什麼呢？簡單地說，即真正讀明白了宇宙是永恒的，人生是渺小的；外界力量是強大的，自身力量是弱小的；天地之間的資源是豐富的，人一身所需要的是有限的。這就是老莊反復要闡發的宇宙人生的另一番道理。它與儒家所主張的積極入世、治國平天下一樣，都有它的正確一面，當然，也有它的缺陷之處。當人一心一意地沉溺於以一身擔天下的狀態中時，是很需要以道家莊子一派來點撥的。從這個意義上來說，老莊此時所起的作用，便是醫治心病的良藥。

南懷瑾先生説得好，儒家是糧店，道家是藥店。藉助于《老子》《莊子》這劑苦藥，曾氏的心病得以醫治，他開始從生命的低谷中走了出來。

四、在制定西面進攻的戰略方針時，他得益于《晋書》《宋史》。

咸豐十年春，太平軍向駐扎在南京雨花臺的江南大營發動强勢攻擊，一舉踏平這座被清朝廷寄予收復南京重任的軍事大本營。江南大營的兩位主將和春、張國樑在南逃途中死去，正在常州征糧的兩江總督何桂清弃城而逃，江蘇巡撫徐有壬在蘇州被殺，蘇南的重要城鎮丹陽、常州、無錫、蘇州、江陰、昆山等全部落入太平軍手中。

對于清朝廷而言，當時的局面是東南大局决裂，但對于曾氏與湘軍而言，正如此時恰在曾氏軍營中的左宗棠所料，它給湖南軍事力量崛起提供了一個極好的機會。在此之前，清朝廷對曾氏以及湘軍一直采取的是又用又疑的態度。長期不給曾氏以地方實權，就是一個明顯的證明。他們的如意算盤是讓湘軍在戰場上賣命，到一定時候，江南大營乘勢打下南京奪取天下第一功。現在這個指望徹底破滅。清朝廷不得不調整政策，在東南戰場上全盤依靠曾氏和湘軍。咸豐十年四月，清朝廷任命曾氏署理兩江總督，兩個月後正式就任。曾氏長達九個年頭的客寄虚懸的尷尬處境終于結束。就在這時，朝廷急如星火般地一再催促曾氏立刻率部進軍江南，收復蘇南失地，奪回米糧之倉，但曾氏没有按照朝廷的意圖辦事。對于何時收復蘇南，從哪個方嚮去攻打南京，曾氏自有他的深思熟慮，成竹在胸。他的思考，寫在他咸豐十年五月初三日給朝廷的奏摺中：『自古平江南之賊，必須踞上游之勢，建瓴而下，乃能成功。』接下來，他寫到，要想收復南京，長江北岸的軍隊得要先克安慶、和州，南岸的軍隊要先克池州、蕪湖，這樣纔得以上制下之勢。他堅决地表明自己的態度：『若仍從東路入手，内外主客，形勢全失，必至仍蹈覆轍，終無了期。』

爲什麼曾氏能這樣堅定地没有思考餘地地反對朝廷東路入手的决策，充滿信心地堅持自己西面進攻的戰略方針呢？他的底氣來自哪裏呢？他的底氣就來自那一句『自古平江南之賊，必須踞上游之勢』的話，也就是來自于歷史經驗，來自于古人成法。

曾氏極愛讀史書。他在二十六歲第二次會試落第那年，取道江南回家，在南京看到一部二十三史，他向別人借了一百兩銀子，錢不够，又賣衣服，凑足後，將這部書買了回來。他的父親對他説：你花一百兩銀子買這部書，我雖然心疼，但還是支持你，衹是你要真正讀完，不能做樣子。他于是一年内足不出户，將二十三史讀完。在北京做翰林時，他要求自己每天讀十頁史書，又將二十三史重新温習了一遍。中國舊式讀書人都愛讀歷史。爲什麼？其原因就是曾氏道光二十一年七月十四日寫在日記中的老師唐鑒的那幾句話：『經濟不外看史，古人已然之迹，法戒昭然，歷代典章不外乎此。』唐鑒説，經濟即經邦濟世也就是治國平天下的學問，都要從史書中獲得，因爲那裏記載許多前人治理國家的故事，一切典章制度，也都可以在那裏查到。

南京自古以來乃江南名城，歷朝歷代，它都是統治者必欲奪之的對象，當時代將收復南京的重任放到曾氏的肩上後，他對此有過很長時間的深遠謀慮，最能給他以藉鑒和啓發的是前朝打南京的舊事。他長期積累的史學素養，在這時發揮了重要的作用。

歷史上有過兩次十分成功的攻打南京的戰役，這兩次戰役對于江南的平定、全國的統一都有著決定性的意義。一次是晉初大將王濬打下吴國都城南京，最終結束三國鼎立的局面。一次是宋初名將曹彬打下南唐都城南京，分裂多年的中國再度統一。這兩次攻克南京的大戰役都有一個共同的特點，那就是藉助强大的水師之力，從西向東順流而下，先將沿江兩岸的重要城鎮拿下，然後順勢將南京獲取。劉禹錫《西塞山懷古》的開頭四句『王濬樓船下益州，金陵王氣黯然收。千尋鐵鎖沉江底，一片降幡出石頭』，説的就是王濬滅東吴的事。

這兩件事分别記載于《晉書》的《王濬傳》與《宋史》的《曹彬傳》。前人的成功戰例既給曾氏以啓示，也給他以信心。曾氏後來便是藉助這種西面進攻穩扎穩打、步步爲營的戰略部署，陸續將安慶、池州、蕪湖、和州等城池拿下，最後南京成了一座孤城，完全失去抵抗的能力，衹得交出。爲什麽打南京非得要取勢于上游呢？因爲南京説到底是長江邊上的一個碼頭，它的建立與繁華，都得力于長江上游的支撑。倘若將上游的碼頭控制，對于南京城而言，則好比長江之水被截斷，它就枯竭了。所以野史上記載，當時有會望氣的人説，湘軍每攻克長江邊上的一個城池，南京城裏的王氣便要黯淡一分。其原因便在這裏。

五、面對著大勝後的複雜局面，他得益于《老子》的『功成身退』。

打下南京後，朝廷一方面對曾氏兄弟封侯封伯，大賞有功，一方面嚴厲指責湘軍放走幼天王及李秀成，大肆搶劫南京城裏的金銀財寶，責令湘軍上報歷年賬目。朝廷有意矮化曾國荃，已令老九鬱悶；嚴令交出已進了私人腰包的金銀，又使湘軍吉字營將士全體憤怒，南京城内怨氣冲天，甚至反叛情緒也在暗中滋生。已在湘軍掌控中的南京城如同一個火藥庫，隨時都有重大變故出現。一個表面風光無限，其實背地裏險惡萬狀的複雜局面，就這樣擺在曾氏面前。

曾氏既可學趙匡胤『黄袍加身』，也可學歷代割據者擁兵自立，但他都没有去學。自從咸豐七八年間守父喪的日子，他深悟老莊之道後，他便時常以老莊的一些思想來提醒身處是非中心的自己。『游心于老莊之境』這樣的話，多次出現在他的日記裏。在整個南京城都沉浸在狂躁與迷亂之中時，他頭腦冷静，意識清醒，《道德經》第九章的那些話，如同黄鐘大吕般撞擊他的心：『金玉滿堂，莫之能守。富貴而驕，自遺其咎。功成名遂，身退，天之道。』他决定選擇道家指引的道路：功成身退。一是推功讓功不居功，把功勞歸之于朝廷。二是勸曾老九解甲歸田。打下南京不到一百天，這個前綫最高指揮官便辭職回家做農民。三是大規模裁軍，將他的直屬部隊裁撤百分之九十。

曾氏的這些舉措得到了朝廷的回報：一是不再追究南京金銀財寶的下落，二是不要他們再報詳細賬目，甚至連曾氏兄弟違旨在南京擅自殺死李秀成一事也不予追究。一場隨時都有

可能上演的歷史上常見的兔死狗烹的悲劇就這樣給避免了。《道德經》所教給曾氏的功成身退，**既是他應對朝廷的策略，更是他大智慧的表現，至少在以下三個方面可以給我們以啓發：**

第一，作爲一個精明的政治家，曾氏在權力搏弈中，對自己所擁有的實力有足够清醒的認識。他以謙退自抑的方式，讓自己親手所組建的團隊和所建立的事業有一個圓滿的結局。

第二，作爲一個理性的哲人，曾氏知道面對著巨大的成就，必須得退後一步，藉此以便離開榮譽的中心位置，儘量減少因猜疑、防範、嫉妒引來的各種心態的不平衡，給自己營造一個安静的空間。

第三，作爲有著崇高追求的士人，曾氏更深知聖賢事業要遠高于豪杰事業。他以功成身退的方式，表示自己對信仰的忠誠，從而完成一個中國文化史上少有的楷模形象。曾國藩如果反清，即便得手，也衹是建立一個新的王朝而已，却毁掉了一個『内聖外王』。中國不缺王朝，缺的是『内聖外王』。他的不朽價值正是體現在這一點上。

六、曾氏一生的處世待物，得益于《易經》。

我曾經反反復復思考過一個問題：曾氏一生的事功輝煌，歷史上少有人可比，他一生不貪不求、不驕不狂、不縱不妄，如此自律克己的大人物，歷史上也少有人可及。他爲什麽能做到這等份上？除開早年修身養成的思維習慣和行爲習慣外，他心裏還得有一個信念在支撑著纔行。他在處世待物上，心裏的確是有一個信念的，這個信念便是求闕。讓他樹立求闕信念的就是《易經》。道光二十四年，三十四歲的曾氏正處一切順利的時候，他在給諸弟的信中説：『兄嘗觀《易》之道，察盈虚消息之理，而知人不可無缺陷也。日中則昃，月盈則虧，天有孤虚，地缺東南，未有常全而不缺者。』曾氏所説的這個《易》之道，集中體現在《易經》的《豐卦》中。《豐卦》説：『日中則昃，月盈則食。天地盈虚，與時消息。』曾氏從這裏悟出宇宙人生的一個大道理，即有闕是常態，圓滿衹是短暫的瞬間，所以他要求闕而不求全。他認爲生命的最好狀態是『花未全開月未圓』。

因爲明白求闕的道理，所以他能自覺地惜福。他常常將這種認識傳達給他的子弟，要他們有福不可享盡，有福不可使盡，雖然家中有權有勢，但要保持寒士家風。

求闕惜福，這是最典型的中國傳統文化。它通過宇宙間的『日中則昃，月盈則虧』的現象，警戒人不可太貪婪，不可太强勢，不可太絶對。一旦過了，就會走向反面，甚至帶來灾禍，近則害自身，遠則殃及子孫。這就是曾氏心中的信念。他不追求太大的權力，不濫用手中的權勢，不貪求奢華的生活，不希望家族過于顯赫，甚至不反叛朝廷取而代之，仔細導繹，都可以在求闕惜福這裏找到根據。他長期兢兢業業，也是因爲意識到自己處在危險的最高層：太陽到中天時則將偏斜，月亮到圓滿時則將虧缺，花到全開時就將凋謝，人到最高層則很容易跌下來。曾氏抱著這種信念，雖然活得較勞累，但一個身處高位手握重權的人，如果没有這種信念，即可能更危險。